发展汉语

Developing
Chinese 第二版
2nd Edition

Intermediate Writing Course
中级写作
（Ⅰ）

蔡永强　编著

严禔　插图

北京语言大学出版社
BEIJING LANGUAGE AND CULTURE
UNIVERSITY PRESS

Developing
Chinese

第二版
2nd Edition

编写委员会

主　编: 李　泉

副主编: 么书君　　张　健

编　委: 李　泉　　么书君　　张　健　　王淑红　　傅　由　　蔡永强

编辑委员会

主　任: 戚德祥

副主任: 张　健　　王亚莉　　陈维昌

成　员: 戚德祥　　张　健　　苗　强　　陈维昌　　王亚莉

　　　　王　轩　　于　晶　　李　炜　　黄　英　　李　超

　　《发展汉语》(第二版)为普通高等教育"十一五"国家级规划教材。为保证本版编修的质量和效率,特成立教材编写委员会和教材编辑委员会。编辑委员会广泛收集全国各地使用者对初版《发展汉语》的使用意见和建议,编写委员会据此并结合近年来海内外第二语言教学新的理论和理念,以及对外汉语教学和教材理论与实践的新发展,制定了全套教材和各系列及各册教材的编写方案。编写委员会组织全体编者,对所有教材进行了全面更新。

适用对象

　　《发展汉语》(第二版)主要供来华学习汉语的长期进修生使用,可满足初(含零起点)、中、高各层次主干课程的教学需要。其中,初、中、高各层次的教材也可供汉语言专业本科教学选用,亦可供海内外相关的培训课程及汉语自学者选用。

结构规模

　　《发展汉语》(第二版)采取综合语言能力培养与专项语言技能训练相结合的外语教学及教材编写模式。全套教材分为三个层级、五个系列,即纵向分为初、中、高三个层级,横向分为综合、口语、听力、阅读、写作五个系列。其中,综合系列为主干教材,口语、听力、阅读、写作系列为配套教材。

　　全套教材共28册,包括:初级综合(Ⅰ、Ⅱ)、中级综合(Ⅰ、Ⅱ)、高级综合(Ⅰ、Ⅱ),初级口语(Ⅰ、Ⅱ)、中级口语(Ⅰ、Ⅱ)、高级口语(Ⅰ、Ⅱ),初级听力(Ⅰ、Ⅱ)、中级听力(Ⅰ、Ⅱ)、高级听力(Ⅰ、Ⅱ),初级读写(Ⅰ、Ⅱ)、中级阅读(Ⅰ、Ⅱ)、高级阅读(Ⅰ、Ⅱ),中级写作(Ⅰ、Ⅱ)、高级写作(Ⅰ、Ⅱ)。其中,每一册听力教材均分为"文本与答案"和"练习与活动"两本;初级读写(Ⅰ、Ⅱ)为本版补编,承担初级阅读和初级写话双重功能。

编写理念

　　"发展"是本套教材的核心理念。发展蕴涵由少到多、由简单到复杂、由生疏到熟练、由模仿、创造到自如运用。"发展汉语"寓意发展学习者的汉语知识,发展学习者对汉语的领悟能力,发展学习者的汉语交际能力,发展学习者的汉语学习能力,不断拓展和深化学习者对当代中国社会及历史文化的了解范围和理解能力,不断增强学习者的跨文化交际能力。

　　"集成、多元、创新"是本套教材的基本理念。集成即对语言要素、语言知识、文化知识以及汉语听、说、读、写能力的系统整合与综合;多元即对教学法、教学理论、教学大纲以及教学材料、训练方式和手段的兼容并包;创新即在遵循汉语作为外语或第二语言教学规律、继承既往成熟的教学经验、汲取新的教学和教材编写研究成果的基础上,对各系列教材进行整体和局部的特色设计。

教材目标

总体目标：全面发展和提高学习者的汉语语言能力、汉语交际能力、汉语综合运用能力和汉语学习兴趣、汉语学习能力。

具体目标：通过规范的汉语、汉字知识及其相关文化知识的教学，以及科学而系统的听、说、读、写等语言技能训练，全面培养和提高学习者对汉语要素（语音、汉字、词汇、语法）形式与意义的辨别和组配能力，在具体文本、语境和社会文化规约中准确接收和输出汉语信息的能力，运用汉语进行适合话语情境和语篇特征的口头和书面表达能力；借助教材内容及其教学实施，不断强化学习者汉语学习动机和自主学习的能力。

编写原则

为实现本套教材的编写理念、总体目标及具体目标，特确定如下编写原则：

（1）课文编选上，遵循第二语言教材编写的针对性、科学性、实用性、趣味性等核心原则，以便更好地提升教材的质量和水平，确保教材的示范性、可学性。

（2）内容编排上，遵循第二语言教材编写由易到难、急用先学、循序渐进、重复再现等通用原则，并特别采取"小步快走"的编写原则，避免长对话、长篇幅的课文，所有课文均有相应的字数限制，以确保教材好教易学，增强学习者的成就感。

（3）结构模式上，教材内容的编写、范文的选择和练习的设计等，总体上注重"语言结构、语言功能、交际情境、文化因素、活动任务"的融合、组配与照应；同时注重话题和场景、范文和语体的丰富性和多样化，以便全面培养学习者语言理解能力和语言交际能力。

（4）语言知识上，遵循汉语规律、汉语教学规律和汉语学习规律，广泛吸收汉语本体研究、汉语教学研究和汉语习得研究的科学成果，以确保知识呈现恰当，诠释准确。

（5）技能训练上，遵循口语、听力、阅读、写作等单项技能和综合技能训练教材的编写规律，充分凸显各自的目标和特点，同时注重听说、读说、读写等语言技能的联合训练，以便更好地发挥"综合语言能力 + 专项语言技能"训练模式的优势。

（6）配套关联上，发挥系列配套教材的优势，注重同一层级不同系列平行或相邻课文之间，在话题内容、谈论角度、语体语域、词汇语法、训练内容与方式等方面的协调、照应、转换、复现、拓展与深化等，以便更好地发挥教材的集成特点，形成"共振"合力，便于学习者综合语言能力的养成。

（7）教学标准上，以现行各类大纲、标准和课程规范等为参照依据，制定各系列教材语言要素、话题内容、功能意念、情景场所、交际任务、文化项目等大纲，以增强教材的科学性、规范性和实用性。

实施重点

为体现本套教材的编写理念和编写原则，实现教材编写的总体目标和具体目标，全套教材突出了以下实施重点：

（1）系统呈现汉语实用语法、汉语基本词汇、汉字知识、常用汉字；凸显汉语语素、语段、语篇教学；重视语言要素的语用教学、语言项目的功能教学；多方面呈现汉语口语语体和书面语体的特点及其层次。

（2）课文内容、文化内容今古兼顾，以今为主，全方位展现当代中国社会生活；有针对性地融入与学习者理解和运用汉语密切相关的知识文化和交际文化，并予以恰当的诠释。

（3）探索不同语言技能的科学训练体系，突出语言技能的单项、双项和综合训练；在语言要素学习、课文读解、语言点讲练、练习活动设计、任务布置等各个环节中，凸显语言能力教学和语言应用能力训练的核心地位。并通过各种练习和活动，将语言学习与语言实践、课内学习与课外习得、课堂教学与目的语环境联系起来、结合起来。

（4）采取语言要素和课文内容消化理解型练习、深化拓展型练习以及自主应用型练习相结合的训练体系。几乎所有练习的篇幅都超过该课总篇幅的一半以上，有的达到了2/3的篇幅；同时，为便于学习者准确地理解、掌握和恰当地输出，许多练习都给出了交际框架、示例、简图、图片、背景材料、任务要求等，以便更好地发挥练习的实际效用。

（5）广泛参考《汉语水平等级标准与语法等级大纲》（1996）、《汉语水平词汇与汉字等级大纲》（2001）、《高等学校外国留学生汉语言专业教学大纲》（2002）、《国际汉语教学通用课程大纲》（2008）、《欧洲语言共同参考框架：学习、教学、评估》（中译本，2008）、《新汉语水平考试大纲（HSK1–6级）》（2009–2010）等各类大纲和标准，借鉴其相关成果和理念，为语言要素层级确定和选择、语言能力要求的确定、教学话题及其内容选择、文化题材及其学习任务建构等提供依据。

（6）依据《高等学校外国留学生汉语教学大纲（长期进修）》（2002），为本套教材编写设计了词汇大纲编写软件，用来筛选、区分和确认各等级词汇，控制每课的词汇总量和超级词、超纲词数量。在实施过程中充分依据但不拘泥于"长期进修"大纲，而是参考其他各类大纲并结合语言生活实际，广泛吸收了诸如"手机、短信、邮件、上网、自助餐、超市、矿泉水、物业、春运、打工、打折、打包、酒吧、客户、密码、刷卡"等当代中国社会生活中已然十分常见的词语，以体现教材的时代性和实用性。

基本定性

《发展汉语》（第二版）是一个按照语言技能综合训练与分技能训练相结合的教学模式编写而成的大型汉语教学和学习平台。整套教材在语体和语域的多样性、语言要素和语言知识及语言技能训练的系统性和针对性，在反映当代中国丰富多彩的社会生活、展现中国文化的多元与包容等方面，都作出了新的努力和尝试。

《发展汉语》（第二版）是一套听、说、读、写与综合横向配套，初、中、高纵向延伸的、完整的大型汉语系列配套教材。全套教材在共同的编写理念、编写目标和编写原则指导下，按照统一而又有区别的要求同步编写而成。不同系列和同一系列不同层级分工合作、相互协调、纵横照应。其体制和规模在目前已出版的国际汉语教材中尚不多见。

特别感谢

感谢国家教育部将《发展汉语》（第二版）列入国家级规划教材，为我们教材编写增添了动力和责任感。感谢编写委员会、编辑委员会和所有编者高度的敬业精神、精益求精的编写态度，以及所投入的热情和精力、付出的心血与智慧。其中，编写委员会负责整套教材及各系列教材的规划、设计与编写协调，并先后召开几十次讨论会，对每册教材的课文编写、范文遴选、体例安排、注释说明、练习设计等，进行全方位的评估、讨论和审定。

感谢中国人民大学么书君教授和北京语言大学出版社张健总编辑为整套教材编写作出的特别而重要的贡献。感谢北京语言大学出版社戚德祥董事长对教材编写和编辑工作的有力支持。感谢关注本套教材并贡献宝贵意见的对外汉语教学界专家和全国各地的同行。

特别期待

○ 把汉语当做交际工具而不是知识体系来教、来学。坚信语言技能的训练和获得才是最根本、最重要的。

○ 鼓励自己喜欢每一本教材及每一课书。教师肯于花时间剖析教材，谋划教法。学习者肯于花时间体认、记忆并积极主动运用所学教材的内容。坚信满怀激情地教和饶有兴趣地学会带来丰厚的回馈。

○ 教师既能认真"教教材"，也能发挥才智弥补教材的局限与不足，创造性地"用教材教语言"，而不是"死教教材"、"只教教材"，并坚信教材不过是教语言的材料和工具。

○ 学习者既能认真"学教材"，也能积极主动"用教材学语言"，而不是"死学教材"、"只学教材"，并坚信掌握一种语言既需要通过课本来学习语言，也需要在社会中体验和习得语言，语言学习乃终生之大事。

李　泉

适用对象

《发展汉语·中级写作》（Ⅰ），适合学过《发展汉语·初级综合》（Ⅱ）和《发展汉语·初级读写》（Ⅱ）或与它们等级相当的课本、掌握 2000～2500 个汉语常用词语、具有中级汉语入门水平的学习者使用。

教材目标

本教材以训练和提高中级阶段汉语学习者的写作能力为核心目标。具体如下：

（1）通过范文的学习和体认，能初步把握常见的汉语篇章的结构特点。

（2）在教师引导下，能进行恰当的语句、语段、篇章的写作实践。

（3）根据自己熟悉的题目，能组织话语进行连贯的口头表达。

（4）按照汉语表达习惯，能写出层次清楚、语句通顺、500～600 字的作文。

特色追求

本教材试图通过范文解析、写作训练、作文讲评等三个方面的特色设计，为学习者搭建一个实用性写作训练平台。具体而言：

（1）发挥范文的示范作用

利用范文向学习者展示文章的写作角度、表达思路和结构方式，让他们感悟汉语书面表达的特点，激发他们的写作愿望。范文难易适当、长短适中，在语句衔接、句段连接、语篇结构等方面力求有示范性和可模仿性，真正发挥范文的示范作用。

（2）突出写作过程训练

本教材试图将写作知识的传授和写作技能的训练融汇于写作环节的设计和实施中。为此，我们设计了若干有实用性和可操作性的教学环节，并希望通过范文阅读与分析、写作实践训练、课后作文布置、作文讲评等环节的实施，体现重视"过程训练"的写作教学理念。

（3）重视作文讲评与布置

作文讲评是写作教学的关键环节，是提高学习者写作能力的重要途径。通过总体上对本次写作得与失的分析，通过对作文中优佳语句、段落的展示和说明，特别是对作文中的偏误进行全面而有重点的分析，可以有效地丰富学习者的写作知识，提高学习者的写作能力。同时，高度重视对课后作文的"深度布置"，通过对作文题目立意和写作角度、思路的畅想，对语言材料的组织和段落内容安排的讨论，不仅可以体现"过程训练"的教学理念，更可以给予学习者实实在在的启发和帮助，进而有效地提高他们的写作信心和写作质量。

使用建议

（1）本教材共 15 课，建议每课用 2 课时完成。教材中各主要教学环节标注了参考用时，教师可根据实际情况灵活掌握。

（2）作文讲评是"真正的写作教学"，应在课下进行充分的准备并在课上给予足够的时间保证。为此，建议教师在作文评改的基础上"深度备课"，对学生习作从宏观到微观、全面而有重点地进行讲评，并整理出"教师总评"、"优佳表达"和"偏误分析"的具体教案，以确保讲评环节不走过场，确保学习者得到最大化的收益。

（3）作文布置是写作教学的重要环节，是激发学生写作欲望和提高习作质量的关键环节。为此，建议教师课下充分思考和准备有关写作题目的各种写作角度和思路、写作方法和材料等，并在课上跟学生一起展开"头脑风暴"，帮助学生开阔思路，找到写作灵感。

（4）课后作文的字数要求为参考字数，有一定的灵活性，教师可根据学习者群体的实际水平等情况进行适当调整。

（5）"我的作品"系要求学习者将修改好的作文抄写于此，请教师加以督导和检查。

特别期待

◎ 课下和课上认真阅读、熟悉和体味每一课的范文。

◎ 积极、主动参与课堂练习活动和相关的讨论。

◎ 相信"写"是学习汉语表达和提升汉语能力的重要途径。

◎ 相信"写"的过程就是用汉语、学汉语的过程，并能"乐在写中"。

◇ 在多种场合以各种方式，不断激发学习者汉语书面表达的欲望。

◇ 及时批改和讲评学习者的课内外作业，并能给予更多的鼓励。

◇ 确信只有写和不断地写才能真正提高汉语写作能力。

◇ 确信结合习作的语句、段落和篇章的讲评才是最重要的写作知识教学。

特别感谢

《发展汉语·中级写作》（I）的插图由严禔完成，特致谢忱！

《发展汉语》（第二版）编写委员会及本册教材编者

目 录　Contents

语法术语及缩略形式参照表
Abbreviations of Grammar Terms

Grammar Terms in Chinese	Grammar Terms in *pinyin*	Grammar Terms in English	Abbreviations
名词	míngcí	noun	n. / 名
代词	dàicí	pronoun	pron. / 代
数词	shùcí	numeral	num. / 数
量词	liàngcí	measure word	m. / 量
动词	dòngcí	verb	v. / 动
助动词	zhùdòngcí	auxiliary	aux. / 助动
形容词	xíngróngcí	adjective	adj. / 形
副词	fùcí	adverb	adv. / 副
介词	jiècí	preposition	prep. / 介
连词	liáncí	conjunction	conj. / 连
助词	zhùcí	particle	part. / 助
拟声词	nǐshēngcí	onomatopoeia	onom. / 拟声
叹词	tàncí	interjection	int. / 叹
前缀	qiánzhuì	prefix	pref. / 前缀
后缀	hòuzhuì	suffix	suf. / 后缀
成语	chéngyǔ	idiom	idm. / 成
主语	zhǔyǔ	subject	S
谓语	wèiyǔ	predicate	P
宾语	bīnyǔ	object	O
补语	bǔyǔ	complement	C
动宾结构	dòngbīn jiégòu	verb-object	VO
动补结构	dòngbǔ jiégòu	verb-complement	VC
名词短语	míngcí duǎnyǔ	nominal phrase	NP
动词短语	dòngcí duǎnyǔ	verbal phrase	VP
形容词短语	xíngróngcí duǎnyǔ	adjectival phrase	AP
介词短语	jiècí duǎnyǔ	prepositional phrase	PP

1

我的朋友——李明

愉快走入第1课

1 范文阅读 ［建议用时：10分钟］

1. 请同学们默读范文。
2. 教师领读或师生齐读范文。
3. 再次默读范文，看看作者是怎么介绍李明的。

我的朋友——李明

来中国后，我认识了一个新朋友，他叫李明，来自新加坡（Singapore）。李明今年31岁，已经结婚了，有两个孩子。

李明是一名医生，在一家医院工作。他告诉我，他们医院和中国的医院有不少联系。为了了解中医，加强①合作②，医院派他来中国学习汉

姓名	李明
国籍	新加坡
出生日期	1980年2月
婚姻状况	已婚
兴趣和爱好	阅读、摄影
身份	留学生
职业	医生
学习汉语的时间	1年
和"我"的关系	朋友

① 加强（jiāqiáng）：strengthen, reinforce 使更强大，使程度更高。
② 合作（hézuò）：cooperate 互相帮助，共同完成某个工作。

语。他已经在中国学了一年汉语了。虽然他的汉语进步很快，但还不能和中国人——特别是③同行④，用汉语熟练地交流。

李明说他喜欢阅读和摄影⑤。平时不工作的时候，他喜欢去图书馆看书，常常在图书馆待⑥一天，有时连吃饭都忘了。看书看累的时候，他就拿着照相机到处走走看看，拍一些有意思的照片。在中国，李明也有这些兴趣和爱好，每个周末他都去图书馆看书，看累的时候就去拍照片。

我周末没事的时候，常跟他一起去图书馆、逛书店，也去一些好看、好玩儿的地方，这时，他都要拍一些照片。

2 范文分析 [建议用时：15分钟]

1. 解读范文《我的朋友——李明》。

（1）李明是从哪儿来的？

_____

（2）李明是做什么工作的？

_____

（3）找出说明李明来中国原因的语句。

_____

（4）找出描写李明汉语水平的语句。

_____

（5）李明有什么兴趣和爱好？

_____

（6）不工作的时候，李明常常做什么？

_____

（7）如果看书看累了，李明做什么？

_____

（8）说说李明在中国的兴趣和爱好。

_____

---

③ 特别是（tèbié shì）：especially, particularly 尤其是，表示程度更深。

④ 同行（tóngháng）：people of the same trade or occupation 同行业的人。

⑤ 摄影（shèyǐng）：photography; take a picture 用照相机拍照片。

⑥ 待（dāi）：stay 停留。

（9）周末没事时，"我"常常做什么？

———

（10）文章介绍了李明的哪些方面？

———

2. 分析范文《我的朋友——李明》的写作思路。

在《我的朋友——李明》中，"我"是这样介绍李明的：新朋友李明的基本情况 →————
——————————————— →————————————————— → "我"周末常和李明在
一起。

3. 熟悉范文《我的朋友——李明》中的表达范例。

重点词语或结构	例　句
……叫……，来自……	他叫李明，来自新加坡。
	我的新朋友叫马力，来自中国的四川。
为了	为了了解中医，加强合作，医院派他来中国学习汉语。
	为了了解中国人的生活，我常常在假期去中国各地旅游。
v. + 了 + 时间词（+ 的）+ n.	他已经在中国学了一年汉语了。
	昨天晚上，我只睡了三个小时的觉。
特别是	他还不能和中国人——特别是同行，用汉语熟练地交流。
	我觉得学习外语——特别是汉语，真是太难了。
跟……一起 + v. / VP	我周末没事的时候，常跟他一起去图书馆、逛书店。
	读大学的时候，我常常跟我的同屋一起踢足球、去酒吧。

3 **写作实践** ［建议用时：20分钟］

小组活动 I：两人一组，试一试，写一写。（可以增加、减少或改变一些词语）

1. 下面的语段中，什么地方省略了"虽然"？什么地方省略了"但是"？什么地方省
   略了"所以"？

> 李明说他喜欢阅读和摄影。……在中国，李明也有这些兴趣和爱好，每个周
> 末他都去图书馆看书，看累的时候就去拍照片。
>
> —————————————————————————————————————
>
> —————————————————————————————————————

2. 试试看，用"因为……，所以……"改写下面的句子。

> 为了了解中医，加强合作，医院派他来中国学习汉语。

3. 试试看，仿照例子，改写下面的句子。

> 例：李明说他喜欢阅读和摄影。→ 李明说："我喜欢阅读和摄影。"
>
> 他告诉我，他们医院和中国的医院有不少联系。→

4. 请模仿下面的语段，写一写你熟悉的一个人。（请注意变色字部分）

> 李明是一名医生，在一家医院工作。他告诉我，他们医院和中国的医院有不少联系。为了了解中医，加强合作，医院派他来中国学习汉语。

（80字）

小组活动 II：两人一组做练习。

1. 根据表格中的内容，在横线上填上合适的词语。
2. 哪些"（大卫／他）"应该省略？
3. 不能省略"（大卫／他）"的地方，应该用"大卫"还是"他"？

姓名	大卫
国籍	美国
出生日期	1989 年 8 月
婚姻状况	未婚
兴趣和爱好	排球、游泳
身份	留学生
学习汉语的时间	半年
和"我"的关系	朋友

我的朋友——大卫

　　最近，我认识了一个新朋友，他叫大卫。大卫 ＿＿＿＿＿＿ 美国,（大卫／他）1989 年出生,（大卫／他）和我都出生在 8 月。

　　（大卫／他）是单身,（大卫／他）还 ＿＿＿＿＿＿ 结婚。（大卫／他）现在是留学生,（大卫／他）还 ＿＿＿＿＿＿ 工作。（大卫／他）＿＿＿＿＿＿ 想了解中国文化，于是（大卫／他）来中国学习汉语。（大卫／他）才学了半年汉语，汉语水平 ＿＿＿＿＿＿ 我低很多。（大卫／他）不能和中国人 ＿＿＿＿＿＿，我常常帮助（大卫／他）。

　　（大卫／他）有很多兴趣和爱好，但最 ＿＿＿＿＿＿ 排球和游泳。（大卫／他）在美国的时候，几乎每天都去打排球或者游泳。到了中国以后,（大卫／他）每个周末都不在宿舍，如果你要找（大卫／他），就得去 ＿＿＿＿＿＿ 或 ＿＿＿＿＿＿。

　　周末要是没有事，我 ＿＿＿＿＿＿ 和（大卫／他）去运动。虽然我的排球还是打得不好，但在（大卫／他）的帮助下，游泳游得越来越好了。

　　小组活动 III：两人一组作介绍。（可以尝试使用范文《我的朋友——李明》中的重点词语或结构）

1. 请根据下面的表格，简单介绍一下"王好"这个人。

姓名	王好
国籍	中国　山东
出生日期	1993 年 6 月
婚姻状况	未婚
兴趣和爱好	旅游、看电影
身份	大学生
学习程度	大学一年级
和"我"的关系	朋友

2. 请互相介绍一下自己。

（100字）

课后作文 ［建议用时：15分钟］

1. 参考题目：（请选择一个题目，你也可以自己想一个题目）

（1）我的同屋

（2）我的朋友

（3）说说我自己

（4）_____

2. 口头作文：

（1）我选择的题目是：＿＿＿＿＿＿＿＿＿

（2）我的写作思路是：＿＿＿＿＿＿＿＿＿＿＿＿＿＿＿＿＿＿＿

＿＿＿＿＿＿＿＿＿＿＿＿＿＿＿＿＿＿＿＿＿＿＿＿＿＿＿＿＿＿＿＿＿

（3）可能用到的词语、句式有：＿＿＿＿＿＿＿＿＿＿＿＿＿＿＿＿＿＿

＿＿＿＿＿＿＿＿＿＿＿＿＿＿＿＿＿＿＿＿＿＿＿＿＿＿＿＿＿＿＿＿＿

3. 作文要求：

（1）请根据你选择的题目，写一篇300～400字的作文。

（2）内容清楚，层次分明，符合汉语的表达习惯。

（3）尽可能用上本课学习的语言知识（词汇、语法、关联词语、重点词语或结构等）。

（4）最好写在方格稿纸上。

我的作品 ［课下完成］

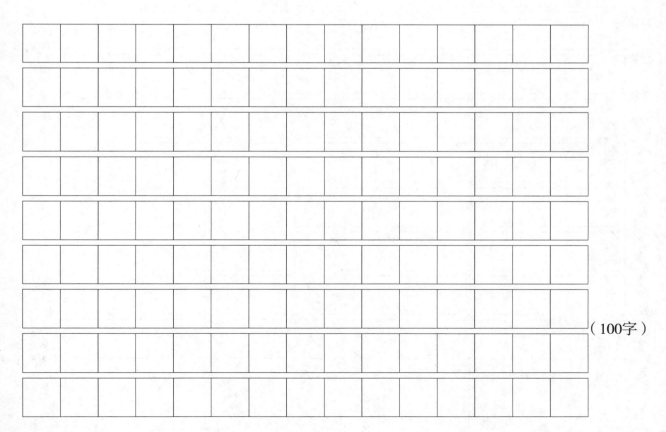

（100字）

（200字）

（300字）

（400字）

来到中国

上次作文讲评 [建议用时：35分钟]

教师总评

优佳表达

好
好
学
习

偏误分析

天
天
向
上

学习心得

愉快走入第2课

1 范文阅读　[建议用时：10分钟]

1. 请同学们默读范文。
2. 教师领读或师生齐读范文。
3. 再次默读范文并体会文章的结构方式。

来到中国

　　我刚会说简单的汉语，就一个人来到了中国。晚上十点多，我到了上海的机场，我决定先在这儿玩儿一个星期，再去北京留学。

　　从机场出来，外面有很多人。宾馆是我提前预订①好的，我想坐机场大巴②，可是不知道车站在哪儿。我把宾馆的名字写在纸上，然后拿给附近的工作人员看。他看了半天，用汉语问了我一句什么，我当然听不懂，就开始说英语，当然他也听不懂。这时，来了一个女的，她能说简单的英语。原来我把汉字写错了，所以刚才那个人看不懂。女的很客气，用英语告诉我宾馆在哪儿，怕我不明白，还在纸上写了宾馆的正确的汉字，应该在哪儿下车。她真是帮了我的大忙，我用力说了一声："谢谢！"

　　我很快找到了机场大巴车站，把那张纸给工作人员看，他很快就明白了我的意思，告诉我应该坐3线大巴。一会儿，大巴来了，我上了车，坐在我旁边

---

① 预订（yùdìng）：subscribe, book in advance　*提前订好。*
② 大巴（dàbā）：bus　*公共汽车。*

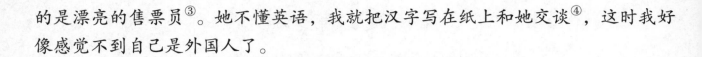

的是漂亮的售票员③。她不懂英语，我就把汉字写在纸上和她交谈④，这时我好像感觉不到自己是外国人了。

2 范文分析 ［建议用时：15分钟］

1. 解读范文《来到中国》。

（1）找出描写"我"汉语水平的语句。

_____

（2）找出描写"我"的计划的语句。

_____

（3）从机场出来，"我"遇到了什么问题？

_____

（4）"我"把什么拿给附近的工作人员看？

_____

（5）工作人员为什么看不懂"我"写在纸上的字？

_____

（6）"我"遇到困难时，是谁帮助了"我"？

_____

（7）女工作人员是怎么帮助"我"的？

_____

（8）找出表达时间的词语。

_____

（9）找出3个"把"字句。

_____

（10）"我"怎么和售票员交谈？

_____

2. 分析范文《来到中国》的写作思路。

请用三句话说说《来到中国》的写作思路：_____ → _____

_____ → _____ 。

---

③ 售票员（shòupiàoyuán）：ticket seller　卖票的工作人员。

④ 交谈（jiāotán）：talk　谈话。

3. 熟悉范文《来到中国》中的表达范例。

重点词语或结构	例　句
刚……，就……	**我刚会说简单的汉语，就一个人来到了中国。**
	我刚到中国，就认识了几个新朋友。
先……，再……	**我决定先在这儿玩儿一个星期，再去北京留学。**
	我的计划是先在朋友家住两天，然后再决定去不去北京。
可是	**我想坐机场大巴，可是不知道车站在哪儿。**
	我真的非常喜欢他，可是不知道应该怎么告诉他。
原来……，所以……	**原来我把汉字写错了，所以刚才那个人看不懂。**
	原来他一点儿都没看懂，所以一直不回答大家的问题。
帮……忙	**她真是帮了我的大忙，我用力说了一声："谢谢！"**
	虽然她只是帮了我一个小忙，但我却非常感激她。

3 写作实践　[建议用时：20分钟]

小组活动 I：两人一组，试一试，写一写。（可以增加、减少或改变一些词语）

1. 试试看，用"原来……，所以……"改写下面的语段。

> 　　我和她说了半天，她好像什么都没听懂。她不懂英语，我就把汉字写在纸上和她交谈，这时我好像感觉不到自己是外国人了。

2. 下面的语段中，哪一个词语可以换成"这时"？

> 　　我很快找到了机场大巴车站，把那张纸给工作人员看，他很快就明白了我的意思，告诉我应该坐3线大巴。一会儿，大巴来了，我上了车，坐在我旁边的是漂亮的售票员。

3. 试试看，用"先……，再……"改写下面的句子。

> 我把宾馆的名字写在纸上，然后拿给附近的工作人员看。

4. 下面的句子中，什么地方省略了"因为"？什么地方省略了"所以"？

> 女的很客气，用英语告诉我宾馆在哪儿，怕我不明白，还在纸上写了宾馆的正确的汉字，应该在哪儿下车。

5. 试试看，用"刚……，就……"、"可是"、"帮……忙"改写下面的语段。

> 我第一次到中国时，只会说几句汉语。有一次我去银行，我用英语和职员说话，没想到他听不懂。后来有一个女职员来帮助我，到现在我都记得那个女职员的样子。

6. 试试看，用"预订好"、"听不懂"、"写错了"、"看不懂"、"感觉不到"改写下面的语段。

> 来中国前，我已经预订了宾馆。为了坐机场大巴，我把宾馆的名字写在纸上，去找工作人员帮忙。工作人员用汉语问我，我不明白他说什么；我说英语，他也不明白我说什么。原来我写的汉字错了，所以刚才那个人不明白。上了大巴以后，我和售票员用汉字"交谈"，这时我已经不觉得自己是外国人了。

小组活动 II：两人一组，说说你从"飞机降落"到"坐上出租车或机场大巴"的过程。（可以尝试使用范文《来到中国》中的重点词语或结构）

小组活动 III：互相说一说你刚来中国时遇到的困难，并写一写。（可以尝试使用范文《来到中国》中的重点词语或结构）

		刚	来	中	国	时	遇	到	的	困	难	

（100字）

课后作文 ［建议用时：15分钟］

1. 参考题目：（请选择一个题目，你也可以自己想一个题目）

（1）来到中国

（2）第一次出国

（3）离开家乡后遇到的困难

（4）＿＿＿＿＿＿＿＿＿＿

2. 口头作文：

（1）我选择的题目是：＿＿＿＿＿＿＿＿＿＿

（2）我的写作思路是：＿＿＿＿＿＿＿＿＿＿＿＿＿＿＿＿＿＿＿

＿＿＿＿＿＿＿＿＿＿＿＿＿＿＿＿＿＿＿＿＿＿＿＿＿＿＿＿＿＿

（3）可能用到的词语、句式有：＿＿＿＿＿＿＿＿＿＿＿＿＿＿＿＿＿

＿＿＿＿＿＿＿＿＿＿＿＿＿＿＿＿＿＿＿＿＿＿＿＿＿＿＿＿＿＿

3. 作文要求：

（1）请根据你选择的题目，写一篇300～400字的作文。

（2）内容清楚，层次分明，符合汉语的表达习惯。

（3）尽可能用上本课学习的语言知识（词汇、语法、关联词语、重点词语或结构
　　　等）。

（4）最好写在方格稿纸上。

我的作品　[课下完成]

（100字）

（200字）

（300字）

（400字）

 上班族的一天

上次作文讲评 [建议用时：35分钟]

📋 教师总评

📋 优佳表达

偏误分析

天天向上

学习心得

愉快走入第3课

① 真想再多睡会儿。

② 我再睡会儿。

③ 差点儿就迟到了。

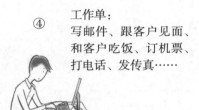
④ 工作单：
写邮件、跟客户见面、和客户吃饭、订机票、打电话、发传真……

⑤ 今晚和朋友一起去吃饭……

1 范文阅读　[建议用时：10分钟]

1. 请同学们默读范文。
2. 教师领读或师生齐读范文。
3. 再次默读范文并体会文章的结构方式。

上班族的一天

王华在一家大公司工作，每天早上9点上班，下午5点下班。

早上7点，闹钟①响了，可王华真不想起床。已经7：10了，他还躺在床上，心里说：真想再多睡会儿。

王华起床后，很快洗了脸，刷了牙，吃完早饭，然后去坐地铁。地铁上人很多，很多人都站着。王华坐在那儿，闭上眼睛，心想：我再睡会儿。

出了地铁站，王华赶快向公司走去。很多人都在一楼等电梯。王华看了看表，决定跑上五层。等他跑进办公室时，已经8：55了，差点儿就迟到了。

王华打开②电脑，开始准备工作。今天他有很多事情要做。首先要看看邮箱③，给客户④和朋友回电子邮件；第二要和客户联系见面的事，中午陪客户一

---

① 闹钟（nàozhōng）：alarm clock　能在预定时间发出声音的钟。

② 打开（dǎkāi）：open, turn on　这里指使电脑等开始工作。

③ 邮箱（yóuxiāng）：mailbox, email address　电子信箱。

④ 客户（kèhù）：client, customer　工厂或企业称呼有商业往来的人。

起吃饭；第三要帮助经理订两张去广州的飞机票；最后，还有一些电话要打，一些传真⑤要发。

忙了一天，终于到下班时间了。王华站在地铁上，给朋友发短信⑥，他们打算一起去吃饭。虽然每天都很忙，有很多事情要做，但王华觉得这样的生活很有意思。

2 范文分析　[建议用时：15分钟]

1. 解读范文《上班族的一天》。

（1）找出说明王华上下班时间的语句。

（2）王华起床前心里在想什么？

（3）王华起床后做了什么？

（4）王华每天怎么去上班？

（5）找出描写地铁上的情况的句子。

（6）王华为什么不坐电梯上楼？

（7）王华今天有哪些工作要做？

（8）找出表示转折关系的关联词语。

（9）王华下班后有什么计划？

（10）王华觉得这种忙碌的生活怎么样？

⑤ 传真（chuánzhēn）：fax　一种可以传递图片、文件等的通信方式。
⑥ 发短信（fā duǎnxìn）：send a short text message　用手机把简短文字发给对方。

2. 分析范文《上班族的一天》的写作思路。

《上班族的一天》用五幅图描写了上班族王华一天的生活，请用五句话概括王华一天的生活：＿＿＿＿＿＿＿＿＿ → ＿＿＿＿＿＿＿＿＿ → ＿＿＿＿＿＿＿＿＿ → ＿＿＿＿＿＿＿＿＿ → ＿＿＿＿＿＿＿＿＿＿＿＿＿＿。

3. 熟悉范文《上班族的一天》中的表达范例。

重点词语或结构	例　句
已经……了	已经 7：10 了，他还躺在床上。
	已经三个多星期了，李丽的感冒还没好。
……后，……，然后……	王华起床后，很快洗了脸，刷了牙，吃完早饭，然后去坐地铁。
	我进屋后，打开灯，找了个座位坐下，然后给朋友们打电话。
差点儿	等他跑进办公室时，已经 8：55 了，差点儿就迟到了。
	如果你不打电话告诉我你不在家，我差点儿就去你家找你了。
终于	忙了一天，终于到下班时间了。
	三个月以后，玛丽终于找到了自己喜欢的工作。
虽然……，但（是）……	虽然每天都很忙，有很多事情要做，但王华觉得这样的生活很有意思。
	虽然天气很热，但是大家都在学习，准备明天的考试。

3 写作实践 ［建议用时：20分钟］

小组活动 1：两人一组，试一试，写一写。（可以增加、减少或改变一些词语）

1. 下面的句子中，哪个词语的后面可以加上"着"？

> 已经7：10了，他还躺在床上，心里说：真想再多睡会儿。

2. 下面的语段中，什么地方可以加上"虽然"？什么地方可以加上"但是"？

> 早上7点，闹钟响了，可王华真不想起床。已经7：10了，他还躺在床上，心里说：真想再多睡会儿。

3. 试试看，模仿"有一些电话要打，一些传真要发"，改写下面语段中画线的部分。

> 　　王华打开电脑，开始准备工作。今天他有很多事情要做。首先要看看邮箱，<u>给客户和朋友回电子邮件</u>；<u>第二要和客户联系见面的事</u>，中午陪客户一起吃饭；<u>第三要帮助经理订两张去广州的飞机票</u>。

4. 请模仿下面的句子，写写你晚上睡觉前做的一些事情。（请注意变色字部分）

> 　　王华起床后，很快洗了脸，刷了牙，吃完早饭，然后去坐地铁。

（60字）

5. 请模仿下面的语段，用"首先、第二、第三、最后"写一段话。

> 　　王华打开电脑，开始准备工作。今天他有很多事情要做。首先要看看邮箱，给客户和朋友回电子邮件；第二要和客户联系见面的事，中午陪客户一起吃饭；第三要帮助经理订两张去广州的飞机票；最后，还有一些电话要打，一些传真要发。

（100字）

小组活动 II：两人一组，说说下面这幅图。（可以尝试使用范文《上班族的一天》中的重点词语或结构）

大学生的一天

小组活动 III：两人一组，简单介绍你一天的生活。（可以尝试使用范文《上班族的一天》中的重点词语或结构）

					一	天	的	生	活				

（表格）

（100字）

课后作文 [建议用时：15分钟]

1. 参考题目：（请选择一个题目，你也可以自己想一个题目）

（1）我的一天

（2）忙碌的一天

（3）紧张的一个星期

（4）＿＿＿＿＿＿＿＿＿＿

2. 口头作文：

（1）我选择的题目是：＿＿＿＿＿＿＿＿＿＿

（2）我的写作思路是：＿＿＿＿＿＿＿＿＿＿＿＿＿＿＿＿＿＿＿

＿＿＿＿＿＿＿＿＿＿＿＿＿＿＿＿＿＿＿＿＿＿＿＿＿＿＿＿＿＿＿

（3）可能用到的词语、句式有：＿＿＿＿＿＿＿＿＿＿＿＿＿＿＿＿＿

＿＿＿＿＿＿＿＿＿＿＿＿＿＿＿＿＿＿＿＿＿＿＿＿＿＿＿＿＿＿＿

3. 作文要求：

（1）请根据你选择的题目，写一篇300～400字的作文。

（2）内容表述清楚，层次分明，符合汉语的表达习惯。

（3）尽可能用上本课学习的语言知识（词汇、语法、关联词语、重点词语或结构
等）。

（4）最好写在方格稿纸上。

我的作品 ［课下完成］

（100字）

（200字）

（300字）

（400字）

第一印象可靠吗

上次作文讲评 [建议用时：35分钟]

教师总评

优佳表达

好
好
学
习

偏误分析

天
天
向
上

学习心得

愉快走入第4课

1 范文阅读 ［建议用时：10分钟］

1. 请同学们默读范文。
2. 教师领读或师生齐读范文。
3. 再次默读范文并体会文章的结构方式。

第一印象可靠吗

　　由于多种原因，我们常常很快就形成①对一个人的看法，这种看法就是第一印象。据说，很多人都相信第一印象。有人说："第一印象太重要了。"这话说得有道理。例如，找工作的时候，给别人留下的第一印象不好，可能就得不到机会，但那个工作也许很适合他。

　　第一印象到底②可靠不可靠呢？

　　我有一个好朋友，当初③他给我的第一印象坏极了。第一次见面我就觉得他脾气不好，给人感觉别扭④。而第二次、第三次见面的时候，我发现他不是那样。他脾气挺好的，和他在一起会觉得很舒服。慢慢地，我们成了好朋友。后来他告诉我，我们第一次见面那天，他刚碰上了一件不高兴的事，心里正生气呢。

---

① 形成（xíngchéng）：form, take shape　通过发展变化，出现某种情况。
② 到底（dàodǐ）：*used in an interrogative sentence for emphasis*　究竟，用在问句中，表示进一步询问。
③ 当初（dāngchū）：at that time, at first　过去某个时候。
④ 别扭（bièniu）：uncomfortable, awkward　不舒服，不顺心。

当然也有相反的情况。有的人给我们留下的第一印象好极了，但时间一长，就会发现并不适合做朋友。

看来，很多情况下，第一印象并不那么可靠，了解一个人并不是一件容易的事。然而，说第一印象重要，却对极了。因为如果人们太相信第一印象，可能会失去⑤一个好朋友，或失去一份好工作；而如果人们完全不相信第一印象，也可能会作出错误的判断。

2 范文分析　　[建议用时：15分钟]

1. 解读范文《第一印象可靠吗》。

（1）什么是第一印象？

（2）找出说明第一印象影响找工作的句子。

（3）"我"的好朋友给"我"的第一印象怎么样？

（4）第一次见面时，"我"朋友为什么脾气不好？

（5）"当然也有相反的情况"指的是什么情况？

（6）找出表示转折关系的关联词语。

（7）找出表示假设关系的关联词语。

（8）找出表示消息来源的词语。

（9）找出表示结论的词语。

（10）找出陈述作者看法的语句。

---

⑤ 失去（shīqù）：lose, miss　原来有的没有了；错过。

2. 分析范文《第一印象可靠吗》的写作思路。

《第一印象可靠吗》的写作思路是这样的：作者先说明什么是第一印象，并指出第一印象很重要。然后提出一个问题，_____。为了回答这个问题，作_____，并简单说了一下相反的情况。最后，作者得出一个结论，虽然第一印象常常不可靠，但_____。

3. 熟悉范文《第一印象可靠吗》中的表达范例。

重点词语或结构	例　句
由于	由于多种原因，我们常常很快就形成对一个人的看法。
	由于天气不太好，我决定不去跑步了。
据说	据说，很多人都相信第一印象。
	据说，后来她和一个有钱人结了婚。
到底	第一印象到底可靠不可靠呢？
	我的护照找不到了，到底放哪儿了呢？
看来	看来，很多情况下，第一印象并不那么可靠。
	我上午去银行，下午约了朋友。看来，今天又没有时间看书了。
并 + 否定词 （不 / 没（有）/ 非 / 无）	很多情况下，第一印象并不那么可靠。
	虽然你们批评我，可我觉得自己并没有做错什么。

3 写作实践　［建议用时：20分钟］

小组活动 I：两人一组，试一试，写一写。（可以增加、减少或改变一些词语）

1. 下面的句子中，什么地方可以加上"如果"？

> 例如，找工作的时候，给别人留下的第一印象不好，可能就得不到机会，但那个工作也许很适合他。

2. 下面的句子中，什么地方省略了"就"？可以删掉哪一个词语？

> 因为如果人们太相信第一印象，可能会失去一个好朋友，或失去一份好工作。

3. 下面的语段中，什么地方可以加上"我们"？哪一个词语可以换成"可"？

> 第一次见面我就觉得他脾气不好，给人感觉别扭。而第二次、第三次见面的时候，我发现他不是那样。他脾气挺好的，和他在一起会觉得很舒服。

4. 试试看，用"因为……，所以……"改写下面这段话。

> 然而，说第一印象重要，却对极了。如果人们太相信第一印象，可能会失去一个好朋友，或失去一份好工作；而如果人们完全不相信第一印象，也可能会作出错误的判断。

5. 试试看，用"由于"、"到底"改写下面这段话。

> 有人说，朋友在我们的生活中非常重要，因为每个人不可能生活在一个人的世界里。那么，朋友有哪些作用呢？这是今天我们要讨论的话题。

6. 请模仿下面的语段，写一段话。（请注意变色字部分）

> 然而，说第一印象重要，却对极了。因为如果人们太相信第一印象，可能会失去一个好朋友，或失去一份好工作；而如果人们完全不相信第一印象，也可能会作出错误的判断。

（100字）

小组活动 II： 两人一组，讲一个关于"第一印象"的故事。（可以尝试使用范文《第一印象可靠吗》中的重点词语或结构）

小组活动 III： 两人一组，讨论一下：你相信第一印象吗？为什么？（可以尝试使用范文《第一印象可靠吗》中的重点词语或结构）

			我	对	第	一	印	象	的	看	法		

<table>
<tr><td></td><td></td><td></td><td></td><td></td><td></td><td></td><td></td><td></td><td></td><td></td><td></td><td></td></tr>
<tr><td></td><td></td><td></td><td></td><td></td><td></td><td></td><td></td><td></td><td></td><td></td><td></td><td></td></tr>
<tr><td></td><td></td><td></td><td></td><td></td><td></td><td></td><td></td><td></td><td></td><td></td><td></td><td></td></tr>
<tr><td></td><td></td><td></td><td></td><td></td><td></td><td></td><td></td><td></td><td></td><td></td><td></td><td></td></tr>
<tr><td></td><td></td><td></td><td></td><td></td><td></td><td></td><td></td><td></td><td></td><td></td><td></td><td></td></tr>
</table>

（100字）

课后作文 ［建议用时：15分钟］

1. 参考题目：（请选择一个题目，你也可以自己想一个题目）

（1）第一印象可靠吗

（2）第一印象对生活的影响

（3）我相信第一印象

（4）_____

2. 口头作文：

（1）我选择的题目是：_____

（2）我的写作思路是：_____

_____

（3）可能用到的词语、句式有：_____

_____

3. 作文要求：

（1）请根据你选择的题目，写一篇300～400字的作文。

（2）内容表述清楚，层次分明，符合汉语的表达习惯。

（3）尽可能用上本课学习的语言知识（词汇、语法、关联词语、重点词语或结构
　　等）。

（4）最好写在方格稿纸上。

我的作品 ［课下完成］

（100字）

（200字）

（300字）

（400字）

我的故乡

上次作文讲评 [建议用时：35分钟]

教师总评

优佳表达

好好学习

偏误分析

天
天
向
上

学习心得

愉快走入第5课

1 范文阅读　[建议用时：10分钟]

1. 请同学们默读范文。
2. 教师领读或师生齐读范文。
3. 再次默读范文并体会文章的结构方式。

我的故乡

我的故乡在青岛。

青岛三面环海，一年四季①气候都不错。春天，青岛到处都是绿色；夏天只是中午有点儿热；秋天，青岛到处都是黄的和红的树叶，漂亮极了；冬天有时会下雪，但天气不会太冷。

青岛是一座山城，道路上上下下的。在青岛骑自行车的人比较少，路上只有汽车。可能因为三面环海，青岛的空气相当不错。

青岛是一座著名的旅游②城市。我相信，很多人都知道青岛国际啤酒节吧。每年八月，是青岛的啤酒节，世界各地有名的啤酒都会来到青岛。人们一边喝啤酒，一边看节目、聊天儿，舒服极了。因为啤酒的种类太多，很多人喝着喝着就喝醉了。当然，青岛能成为一座著名的旅游城市，更是因为那里有海。站

---

① 四季（sìjì）：four seasons　指春、夏、秋、冬四个季节。
② 旅游（lǚyóu）：tour, travel　旅行，游览。

在海风中，听着海浪③的声音，闻着海水的咸味儿④，你一定会爱上这里。

　　青岛的海鲜⑤很不错。夏天的晚上，在海边的椅子上坐下，喝着冰镇⑥啤酒，吃着新鲜的鱼虾⑦，那种感觉真是太美了。

　　为了上学，我离开青岛，到了北京。虽然我也很喜欢北京的生活，但是我更喜欢青岛的天气、环境、海鲜，尤其是青岛啤酒。

2 范文分析　　[建议用时：15分钟]

1. 解读范文《我的故乡》。

（1）找出描写青岛气候的语句。

_____

（2）找出描写青岛交通情况的语句。

_____

（3）找出描写青岛空气的语句。

_____

（4）找出介绍青岛啤酒节的语句。

_____

（5）找出描写青岛的海的语句。

_____

（6）找出文中表示原因的词语。

_____

（7）找出描写"我"对青岛的感情的语句。

_____

（8）文章介绍了青岛的哪几个方面？

_____

（9）文章重点介绍了青岛的哪个方面？

_____

---

③ 海浪（hǎilàng）：sea wave　海里的波浪。

④ 咸味儿（xiánwèir）：salty taste　像盐的味道。

⑤ 海鲜（hǎixiān）：fresh seafood　可以吃的新鲜的海鱼、海虾等。

⑥ 冰镇（bīngzhèn）：iced　把食物或饮料和冰等放在一起使凉。

⑦ 虾（xiā）：shrimp　一种生活在水中、可以吃的节肢动物。

2. 分析范文《我的故乡》的写作思路。

《我的故乡》首先介绍了青岛的气候，然后介绍了_____、_____、_____，最后抒发了"我"对故乡青岛的深厚感情。

3. 熟悉范文《我的故乡》中的表达范例。

重点词语或结构	例　句
到处都……	春天，青岛到处都是绿色。
	昆明是"春城"，一年四季到处都是游客。
相当	可能因为三面环海，青岛的空气相当不错。
	据说，那儿的风景相当不错，有时间我也想去看看。
一边……，一边……	人们一边喝啤酒，一边看节目、聊天儿，舒服极了。
	周末，我常常在操场一边跑步，一边听音乐。
v.着 v.着就……	因为啤酒的种类太多，很多人喝着喝着就喝醉了。
	我喜欢在房间看书，可有时看着看着就睡着了。
尤其是……	虽然我也很喜欢北京的生活，但是我更喜欢青岛的天气、环境、海鲜，尤其是青岛啤酒。
	和北京相比，我更喜欢上海的生活，尤其是上海的夜生活。

3 写作实践　[建议用时：20分钟]

小组活动 I：两人一组，试一试，写一写。（可以增加、减少或改变一些词语）

1. 下面的语段中，哪一个"我"可以去掉？

为了上学，我离开青岛，到了北京。虽然我也很喜欢北京的生活，但是我更喜欢青岛的天气、环境、海鲜，尤其是青岛啤酒。

_____

_____

_____

2. 试试看，用"尤其是"改写下面的句子。

> 当然，青岛能成为一座著名的旅游城市，不仅是因为青岛有国际啤酒节，更是因为那里有海。

3. 试试看，用"一边……，一边……"改写下面的句子。

> 夏天的晚上，在海边的椅子上坐下，喝着冰镇啤酒，吃着新鲜的鱼虾，那种感觉真是太美了。

4. 试试看，用"相当"、"到处"、"v.着 v.着就……"改写下面的语段。

> 青岛国际啤酒节真是太棒了！在啤酒节上，你会发现自己的周围全是啤酒。啤酒的牌子很多，很多人想把不同牌子的啤酒都尝一遍，可是因为尝得太多了，后来不知不觉就醉了。

5. 请模仿下面的语段，把另一个语段补充完整。（变色文字已给出模仿示例）

> 青岛是一座山城，道路上上下下的。在青岛骑自行车的人比较少，路上只有汽车。可能因为三面环海，青岛的空气相当不错。

		这	里	是	城	市	的	商	业	中	心	，	每	天
都	人	来	人	往	的	。								

（100字）

6. 请模仿下面的语段，写一写你家乡的气候。

> 青岛三面环海，一年四季气候都不错。春天，青岛到处都是绿色；夏天只是中午有点儿热；秋天，青岛到处都是黄的和红的树叶，漂亮极了；冬天有时会下雪，但天气不会太冷。

（100字）

小组活动 II：两人一组，说说你对青岛的了解。（可以尝试使用范文《我的故乡》中的重点词语或结构）

小组活动 III：两人一组，互相介绍自己的故乡。（可以尝试使用范文《我的故乡》中的重点词语或结构）

						我	的	故	乡					

（100字）

课后作文 ［建议用时：15分钟］

1. 参考题目：（请选择一个题目，你也可以自己想一个题目）

（1）我的故乡

（2）我熟悉的一个城市

（3）农村的生活

（4）_____

2. 口头作文：

（1）我选择的题目是：＿＿＿＿＿＿＿＿＿＿

（2）我的写作思路是：＿＿＿＿＿＿＿＿＿＿＿＿＿＿＿＿＿＿＿＿＿＿＿

＿＿＿＿＿＿＿＿＿＿＿＿＿＿＿＿＿＿＿＿＿＿＿＿＿＿＿＿＿＿＿＿

（3）可能用到的词语、句式有：＿＿＿＿＿＿＿＿＿＿＿＿＿＿＿＿＿＿＿

＿＿＿＿＿＿＿＿＿＿＿＿＿＿＿＿＿＿＿＿＿＿＿＿＿＿＿＿＿＿＿＿

3. 作文要求：

（1）请根据你选择的题目，写一篇300～400字的作文。

（2）内容表述清楚，层次分明，符合汉语的表达习惯。

（3）尽可能用上本课学习的语言知识（词汇、语法、关联词语、重点词语或结构等）。

（4）最好写在方格稿纸上。

我的作品 ［课下完成］

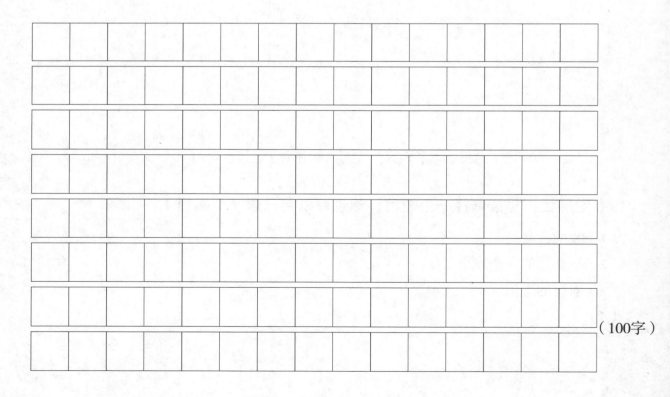

（100字）

（200字）

（300字）

（400字）

我的恋爱史

上次作文讲评 ［建议用时：35分钟］

教师总评

优佳表达

好好学习

偏误分析

天
天
向
上

学习心得

愉快走入第6课

1 范文阅读　[建议用时：10分钟]

1. 请同学们默读范文。
2. 教师领读或师生齐读范文。
3. 再次默读范文并体会文章的结构方式。

我的恋爱史

我一共谈过三次恋爱。

第一次谈恋爱时，我差不多十一岁。有一次，我问我喜欢的那个男生他最喜欢谁，他说最喜欢我。于是，从那一天开始，我们经常一起玩儿。上中学后，我们去了不同的学校，在一起玩儿的时间越来越少了。后来，不知道从什么时候开始，我们的"恋爱"就结束了。

第二次是在同学的生日晚会上，那时我十四五岁。我觉得一个男生很帅①，就笑着看他。因为有点儿害羞②，没跟他说话。可我忘不了他，过了几天，我终于忍③不住给他打了电话，我们见面后都很害羞。不久，他给我打电话，说他很喜欢我，但他觉得我们不合适，还是分手④吧。我很难过，不明白为什么。

---

① 帅（shuài）：handsome　指男性长得好看。
② 害羞（hàixiū）：shy　不好意思。
③ 忍（rěn）：endure, tolerate　控制。
④ 分手（fēnshǒu）：break up, be apart　分开，不在一起。

　　我十八岁的时候，开始了第三次恋爱。我们班有一个男生很少说话，但是一说话就很幽默⑤，我马上爱上了他。可是他好像对我一点儿感觉也没有，我只好主动⑥跟他接触，半年以后他才爱上我。他是我第一个真正的男朋友，我也是他第一个真正的女朋友。我们在一起很幸福，幸福得常常以为世界上只有我们两个人。他现在是我最好的朋友，没有人比他更了解我、理解我了。

　　我谈恋爱只选择我喜欢的人，不喜欢被喜欢我的人选择。如果我觉得一个男的很帅，然后他爱上我，我会觉得没意思，而如果是我好不容易争取⑦来的，就会非常珍惜。

2 范文分析　[建议用时：15分钟]

1. 解读范文《我的恋爱史》。

（1）找出描写"我"年龄的句子。

（2）"我"什么时候开始和第一个男生在一起？

（3）"我"为什么和第一个男生见面的机会越来越少了？

（4）"我"第二次恋爱是什么时候？

（5）找出描写"我"见到第二个男生时的心情的语句。

（6）找出描写"我"与第二个男生见面情况的语句。

（7）找出"我"评价第三个男生的语句。

（8）找出文中描写时间的语句。

（9）文章最后一段的主要意思是什么？

---

⑤ 幽默（yōumò）：humorous　有趣，好笑。

⑥ 主动（zhǔdòng）：be initiative, act initiatively　自觉地行动。

⑦ 争取（zhēngqǔ）：strive for　努力取得、得到。

2. 分析范文《我的恋爱史》的写作思路。

《我的恋爱史》介绍了"我"的三次恋爱经历，第一次：＿＿＿＿＿＿＿＿＿＿＿＿＿＿＿＿
＿＿＿＿；第二次：＿＿＿＿＿＿＿＿＿＿＿＿＿＿＿＿；第三次：＿＿＿＿＿＿＿＿＿＿＿＿
＿＿＿＿＿＿；最后写的是"我"谈恋爱的原则。

3. 熟悉范文《我的恋爱史》中的表达范例。

重点词语或结构	例　句
于是	于是，从那一天开始，我们经常一起玩儿。
	我只是喜欢他，但并不爱他。于是，我的第一次恋爱很快就结束了。
v. + 不住	过了几天，我终于忍不住给他打了电话。
	他终于控制不住自己，和那个人大吵了一架。
才	半年以后他才爱上我。
	我在图书馆找了大半天，才找到那本书。
没有……比……更……	他现在是我最好的朋友，没有人比他更了解我、理解我了。
	我最喜欢青岛啤酒，我觉得没有什么啤酒比青岛啤酒更好喝了。
而	……，而如果是我好不容易争取来的，就会非常珍惜。
	如果对方是陌生人，我一般不说话。而如果对方是我朋友，我就会变得非常活泼。

3 写作实践 ［建议用时：20分钟］

小组活动 I：两人一组，试一试，写一写。（可以增加、减少或改变一些词语）

1. 下面的语段中，哪一个"他"可以去掉？什么地方可以加上"他"？

> 不久，他给我打电话，说他很喜欢我，但他觉得我们不合适，还是分手吧。
> 我很难过，不明白为什么。

2. 请模仿下面的句子，把另一个句子补充完整。（请注意变色字部分）

> 我们在一起很幸福，幸福得常常以为世界上只有我们两个人。
> 我们见面后都很害羞，_____
>
> _____

3. 试试看，用"没有……比……更……"改写下面的句子。

> 他是我第一个真正的男朋友，我也是他第一个真正的女朋友。我觉得我们是世界上最幸福的人。
>
> _____

4. 试试看，把下面画线部分的句子改写成对话。

> 有一次，<u>我问我喜欢的那个男生他最喜欢谁，他说最喜欢我。</u>
>
> _____
>
> _____

5. 试试看，把"于是"后面的内容补充完整。

> 我和我的丈夫是在一次酒会上认识的。那时由于我不小心，把酒弄了他一身。他不但没有生气，反而连连对我说"对不起"。于是，_____
>
> _____
>
> _____

6. 请模仿下面的语段，写一写你选择啤酒（或朋友）的标准。（请注意变色字部分）

> 我谈恋爱只选择我喜欢的人，不喜欢被喜欢我的人选择。如果我觉得一个男的很帅，然后他爱上我，我会觉得没意思，而如果是我好不容易争取来的，就会非常珍惜。

（100字）

小组活动 II：两人一组，说说你选择朋友的标准。（可以尝试使用范文《我的恋爱史》中的重点词语或结构）

小组活动 III：两人一组，互相介绍自己的一次经历。（可以尝试使用范文《我的恋爱史》中的重点词语或结构）

			我	的	＿＿＿		经	历				

（100字）

课后作文 ［建议用时：15分钟］

1. 参考题目：（请选择一个题目，你也可以自己想一个题目）

（1）我的恋爱史

（2）我的旅游经历

（3）我的求学经历

（4）_____

2. 口头作文：

（1）我选择的题目是：_____

（2）我的写作思路是：_____

_____

（3）可能用到的词语、句式有：_____

_____

3. 作文要求：

（1）请根据你选择的题目，写一篇400～500字的作文。

（2）内容表述清楚，层次分明，符合汉语的表达习惯。

（3）尽可能用上本课学习的语言知识（词汇、语法、关联词语、重点词语或结构等）。

（4）最好写在方格稿纸上。

我的作品 [课下完成]

（100字）

（200字）

（300字）

（400字）

（500字）

7 搬　家

📋 教师总评

📋 优佳表达

好
好
学
习

偏误分析

天
天
向
上

学习心得

愉快走入第7课

1 范文阅读　[建议用时：10分钟]

1. 请同学们默读范文。
2. 教师领读或师生齐读范文。
3. 再次默读范文并体会文章的结构方式。

搬　家

　　最近，我决定搬家。因为我在学校里总是不能安心学习，一会儿想去买东西，一会儿想去跟朋友聊天儿，所以我决定搬出学校的宿舍，租①一个比较安静的房子。

　　在朋友的帮助下，我终于在学校附近租到了一个房子。我对我的新房子很满意，它离学校不太远，走路15分钟就能到。这里环境很不错，前面是公园，后面有一家很大的书店，周围没有来来往往的车辆②，很安静。

　　周末，我把东西搬进了新家，就开始收拾房间。我租的房子不算大，可是有厨房，有卫生间③，还有一个大房间，一个人住应该很舒服了。

　　门的后边有一个很特别的鞋架④，下面可以放鞋，上面是衣架，可以挂衣服。我把几双鞋整整齐齐地放在鞋架上，把帽子和外套⑤挂在衣架上。

---

① 租（zū）：rent, lease　交钱借用别人的东西，到了时间再还（huán）回去。
② 车辆（chēliàng）：vehicle　各种车的总称。
③ 卫生间（wèishēngjiān）：toilet, restroom　有卫生设备的房间。
④ 架（jià）：frame, shelf　用木头、金属等做的架子，如书架、鞋架等。
⑤ 外套（wàitào）：overcoat　穿在外面的衣服。

大房间里有书柜⑥、衣柜，还有桌子、椅子和床。我把书放在书柜里，最上面放的是不常看的书，中间放的是常用的，词典当然放在最方便拿的地方。衣柜很大，我把带来的衣服都放进了衣柜里，衣柜还没有装满。我高兴极了，再买衣服也不用发愁⑦没有地方放了。桌子也不小，放上电脑，还有一大块地方，可以放书，可以写字。试一试，椅子也很舒服。真是太好了！

收拾完房间，我洗了个澡，打开电脑，开始给朋友们写 email。我打算请他们周末来我家玩儿，也看看我的新家。

2 范文分析 ［建议用时：15分钟］

1. 解读范文《搬家》。

（1）找出说明"我"搬家理由的语句。

_____

（2）"我"从哪儿搬到了哪儿?

_____

（3）找出描写新房子周围环境的语句。

_____

（4）找出表达朋友帮助"我"的语句。

_____

（5）找出描写新房间设备、家具的语句。

_____

（6）搬家后"我"的书是怎么放的?

_____

（7）找出表示方向和位置的词语。

_____

（8）找出表示原因和结果关系的关联词语。

_____

（9）新家的哪些方面让"我"很满意?

_____

---

⑥ 柜（guì）：cupboard, cabinet　一种放衣服、书等的家具，如衣柜、书柜等。

⑦ 发愁（fāchóu）：be worried about　因为不知道该怎么办，觉得不高兴、苦恼。

（10）周末"我"要干什么？

2. 分析范文《搬家》的写作思路。

《搬家》的写作思路是这样的：＿＿＿＿＿＿＿＿＿＿ → 找房子 → 新房的
环境 → 房子的结构 → 介绍鞋架 → ＿＿＿＿＿＿＿＿＿＿ → 给朋友写邮件。

3. 熟悉范文《搬家》中的表达范例。

重点词语或结构	例　句
在……帮助下	在朋友的帮助下，我终于在学校附近租到了一个房子。
	在大卫和其他朋友的帮助下，我去中国银行办了一张信用卡。
对……满意 / 不满意	我对我的新房子很满意，它离学校不太远，走路15分钟就能到。
	玛丽对这次旅行不是很满意，因为时间太短了。
离	我对我的新房子很满意，它离学校不太远，走路15分钟就能到。
	她住的地方离公司不是一般的远，坐车一个多小时才能到。
前面 / 后面 /……+ 是 / 有 + 事物	这里环境很不错，前面是公园，后面有一家很大的书店。
	我们家前边有一家麦当劳，左边是一座公园。
把……v. 在……上 / 里	我把帽子和外套挂在衣架上。
	李明没有把那张地图放在书柜里，而是贴在了墙上。

3 写作实践　［建议用时：20分钟］

小组活动 I：两人一组，试一试，写一写。（可以增加、减少或改变一些词语）

1. 下面的句子中，什么地方省略了"因为"？什么地方省略了"所以"？

　　这里环境很不错，前面是公园，后面有一家很大的书店，周围没有来来往往
的车辆，很安静。

2. 试试看，用"把"字句改写下面句子的画线部分。

> 我把书放在书柜里，<u>最上面放的是不常看的书，中间放的是常用的，词典当然放在最方便拿的地方</u>。

3. 试试看，用"有时……，有时……"能改写范文中的哪个句子？

4. 下面的句子中，哪一个"我"可以去掉？什么地方可以加上"因为"？什么地方可以加上"了"？

> 我对我的新房子很满意，它离学校不太远，走路15分钟就能到。

5. 试试看，用"把"字句写一写你进教室后的一些动作。

> 我走进教室，找了一个座位坐下，

6. 请模仿下面的语段，写一写你家（或你住的地方）周围的环境。

> 我对我的新房子很满意，它离学校不太远，走路15分钟就能到。这里环境很不错，前面是公园，后面有一家很大的书店，周围没有来来往往的车辆，很安静。

（80字）

小组活动 II：两人一组，说说下面这幅图。（可以尝试使用范文《搬家》中的重点词语或结构）

小组活动 III：两人一组，互相介绍自己的房间，并说说你对房间的满意和不满意之处。（可以尝试使用范文《搬家》中的重点词语或结构）

						我	的	房	间				

<table>
<tr><td></td><td></td><td></td><td></td><td></td><td></td><td></td><td></td><td></td><td></td><td></td><td></td><td></td><td></td></tr>
<tr><td></td><td></td><td></td><td></td><td></td><td></td><td></td><td></td><td></td><td></td><td></td><td></td><td></td><td></td></tr>
<tr><td></td><td></td><td></td><td></td><td></td><td></td><td></td><td></td><td></td><td></td><td></td><td></td><td></td><td></td></tr>
<tr><td></td><td></td><td></td><td></td><td></td><td></td><td></td><td></td><td></td><td></td><td></td><td></td><td></td><td></td></tr>
<tr><td></td><td></td><td></td><td></td><td></td><td></td><td></td><td></td><td></td><td></td><td></td><td></td><td></td><td></td></tr>
<tr><td></td><td></td><td></td><td></td><td></td><td></td><td></td><td></td><td></td><td></td><td></td><td></td><td></td><td></td></tr>
</table>

（100字）

课后作文 ［建议用时：15分钟］

1. 参考题目：（请选择一个题目，你也可以自己想一个题目）

（1）换房间

（2）整理房间

（3）来到新的学校

（4）＿＿＿＿＿＿＿＿＿＿

2. 口头作文：

（1）我选择的题目是：＿＿＿＿＿＿＿＿＿＿

（2）我的写作思路是：＿＿＿＿＿＿＿＿＿＿＿＿＿＿＿＿＿＿

＿＿＿＿＿＿＿＿＿＿＿＿＿＿＿＿＿＿＿＿＿＿＿＿＿＿＿＿＿＿

（3）可能用到的词语、句式有：＿＿＿＿＿＿＿＿＿＿＿＿＿＿＿

＿＿＿＿＿＿＿＿＿＿＿＿＿＿＿＿＿＿＿＿＿＿＿＿＿＿＿＿＿＿

3. 作文要求：

（1）请根据你选择的题目，写一篇400～500字的作文。

（2）内容表述清楚，层次分明，符合汉语的表达习惯。

（3）尽可能用上本课学习的语言知识（词汇、语法、关联词语、重点词语或结构等）。

（4）最好写在方格稿纸上。

我的作品 ［课下完成］

（100字）

（200字）

（300字）

（400字）

（500字）

到底发生了什么事

上次作文讲评 ［建议用时：35分钟］

教师总评

优佳表达

偏误分析

天
天
向
上

学习心得

愉快走入第8课

1 范文阅读　[建议用时：10分钟]

1. 请同学们默读范文。

2. 教师领读或师生齐读范文。

3. 再次默读范文并体会文章的结构方式。

到底发生了什么事

周末，我和朋友一起去买电脑。

可能因为是周末，公共汽车开得很慢，后来越走越慢，最后竟然①停在了路上。开始的时候，大家没觉得奇怪，因为周末路上堵车太正常了。可后来大家越来越觉得不对劲②，都等了快10分钟了，车仍然堵在路上，走不了。又等了五六分钟，车终于开了，可是走了不到两步，又停下了。就这样，我们的车走走停停，停停走走，简直③像蜗牛④在爬。我和朋友都很着急，其他乘客也都很着急，可是着急有什么用呢？

前面到底发生了什么事？所有人都想知道。虽然周末常常堵车，但从来没出现过今天这种情况。难道前面的红绿灯坏了？还是发生了交通事故⑤？都不

---

① 竟然（jìngrán）: unexpectedly, to one's surprise　表示没有想到。

② 不对劲（bú duìjìn）: abnormal, queer　不正常。

③ 简直（jiǎnzhí）: just, simply　表示完全如此，完全是。

④ 蜗牛（wōniú）: snail　一种爬行动物。爬的速度很慢。

⑤ 事故（shìgù）: accident　意外的事件。

像，即使红绿灯坏了，或发生了交通事故，警察也该处理完了。车上很多人都在打电话，说路上堵车，自己可能要迟到了。但车还是开不动，大家只能在车上等着，干着急。

又过了30分钟，汽车终于到了车站。我们赶紧下车，即使走路也比坐车快啊！我们往前走了一站地，终于明白为什么今天这么堵了。

原来，有一只骆驼⑥从动物园跑了出来。不知道为什么，那只骆驼竟然趴⑦在了马路中间，不走了，所有车辆只能从骆驼身边小心地通过。虽然有司机和乘客下车，想把骆驼从路中间赶走，可那头骆驼说什么也不走……

2 课堂作文

1. **参考话题：**

（1）请根据范文《到底发生了什么事》最后一段，续写后面的内容。

> 原来，有一只骆驼从动物园跑了出来。不知道为什么，那只骆驼竟然趴在了马路中间，不走了，所有车辆只能从骆驼身边小心地通过。虽然有司机和乘客下车，想把骆驼从路中间赶走，可那头骆驼说什么也不走……

---

⑥骆驼（luòtuo）：camel　一种动物。适于在沙漠中行走。

⑦趴（pā）：lie face down　身体朝下卧倒。

（2）请根据下面的开头，续写后面的内容。

> 　　晚上八点，从上海开往北京的高速列车，准时停在了北京南站。奇怪的是，所有车门并没有立刻打开。大家在车厢里都很着急，抱怨为什么车门迟迟不开。
>
> 　　这时，大家透过车窗看见外面来了好几个警察。这些警察上了火车，过了一会儿，把两个人带走了。为什么警察到火车上抓人？警察带走的是什么人？到底发生了什么事？

（3）请根据下面的开头，续写后面的内容。

> 　　我和朋友约好，中午十二点在东来顺一起吃饭。
>
> 　　想到路上可能会堵车，我不到十一点半就出来了。快到东来顺的时候，突然看见前面有很多人。我走过去，才知道前面的路不让走了。原来马路旁边的楼顶上站着一个帅小伙子，想要跳楼自杀。楼下有警察，有救护车，还有抢救人员，他们把附近的道路围住，所有行人和车辆都不能从这里经过。
>
> 　　大家议论纷纷，这么帅的一个小伙子，为什么要自杀呢？

2. 作文要求：

（1）请根据你选择的话题，发挥你的想象，自己想一个题目，写一篇400～500字的作文。

（2）内容表述清楚，层次分明，符合汉语的表达习惯。

（3）最好写在方格稿纸上。

我的作品 ［课下完成］

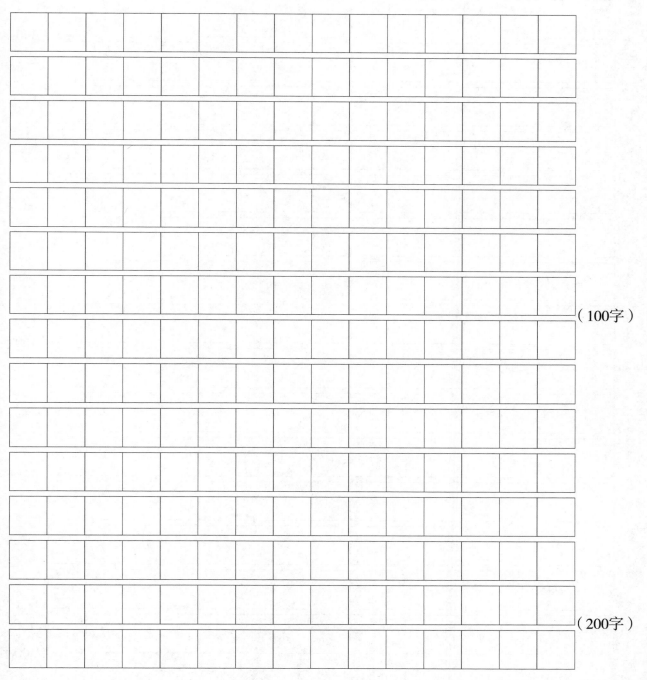

（100字）

（200字）

（300字）

（400字）

（500字）

关于出行方式的调查

上次作文讲评 [建议用时：35分钟]

教师总评

优佳表达

偏误分析

学习心得

愉快走入第9课

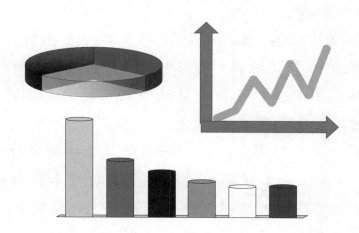

1 范文阅读 [建议用时：10分钟]

1. 请同学们默读范文。
2. 教师领读或师生齐读范文。
3. 再次默读范文并体会文章的结构方式。

关于出行方式①的调查

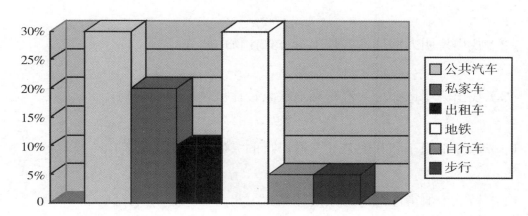

　　乘公共汽车、坐地铁、开私家车、打车、骑自行车或者步行（走路），是城市人的全部出行方式。从上面的图中可以看出，选择以上出行方式的分别占30%、30%、20%、10%、5%、5%。

　　以上调查告诉我们，选择公共汽车和地铁的人数最多，占全部出行人数的60%。原因是前者价格便宜，后者方便、准时。值得注意的是，虽然都是公共

---

① 出行方式（chūxíng fāngshì）：way of travelling, means of transportation　从家里外出选择的交通方法。

交通，但选择出租车的人数比选择公共汽车和地铁的人数少得多。这可能和价格有关，因为打车比较贵。

另一个值得注意的现象②是，有20%的人选择开车出行，这个数字③只比乘公共汽车、地铁等公共交通出行低10%。选择私家车出行当然舒服，也不挤，但如果私家车越来越多，可能会让城市的交通更加拥挤④，很多上下班的人可能会把更多的时间浪费在路上。

除了乘公共交通、开私家车，还有一部分人选择骑自行车、步行出行，二者⑤一共占10%。其实，如果距离不是太远，骑自行车或者走路，真的是一个很好的选择。既能锻炼身体，又不挨挤，还能省下一笔不小的交通费。

为了让城市的交通更加方便，政府应该努力发展公共交通。只要公共交通足够⑥方便、舒适⑦，就会有越来越多的人选择公共交通出行，这对一个城市的交通、环境都是非常有利的。

2 范文分析　[建议用时：15分钟]

1. 解读范文《关于出行方式的调查》。

（1）找出介绍所有出行方式的语句。

_____

（2）找出说明人们选择各种出行方式比例的语句。

_____

（3）找出说明选择公共汽车和地铁人数比例及原因的语句。

_____

（4）选择出租车和其他公共交通出行的人数有什么不同？

_____

（5）另一个值得注意的现象是什么？

_____

---

② 现象（xiànxiàng）：phenomenon　事物发展和变化的表现。
③ 数字（shùzì）：number, amount　表示数目的文字；数量。
④ 拥挤（yōngjǐ）：crowded　车、船等很多，但地方很小。
⑤ 二者（èrzhě）：the two　这两个。
⑥ 足够（zúgòu）：enough　能够满足需要。
⑦ 舒适（shūshì）：comfortable　舒服。

（6）找出说明私家车数量增加产生的后果的语句。

_____

（7）有多少人选择骑自行车或步行出行？

_____

（8）找出说明骑自行车或步行出行好处的语句。

_____

（9）找出介绍作者建议的语句。

_____

（10）文章提到了几个值得注意的现象？

_____

2. 分析范文《关于出行方式的调查》的写作思路。

《关于出行方式的调查》的写作思路是这样的：文章先指出_____
_____，然后指出_____，接着指出另一个值得注意的现象，____
_____，此外还分析了_____，最后写的
是作者的建议。

3. 熟悉范文《关于出行方式的调查》中的表达范例。

重点词语或结构	例　句
分别 + v.	**选择以上出行方式的分别占 30%、30%、20%、10%、5%、5%。**
	2010 年和 2012 年的失业人数分别增加了 4% 和 3%。
占	**选择公共汽车和地铁的人数最多，占全部出行人数的 60%。**
	我们公司女职员比较多，大概占所有职员的 70%。
前者……，后者……	**原因是前者价格便宜，后者方便、准时。**
	选择公共汽车和地铁的人数最多，前者占 30%，后者占 30%。
除了……，还……	**除了乘公共交通、开私家车，还有一部分人选择骑自行车、步行出行。**
	参加会议的人除了所有代表，还有一些新闻记者。
既……，又……	**既能锻炼身体，又不挤，还能省下一笔不小的交通费。**
	我想搬家，搬到一个既离公司近，又方便购物的地方。

3 写作实践 ［建议用时：20分钟］

小组活动 I：两人一组，试一试，写一写。（可以增加、减少或改变一些词语）

1. 试试看，用"分别 + v."改写下面的句子。

> 从上面的图中可以看出，本科生增加了10%，研究生增加了15%。

2. 试试看，用"除了……，还……"和"……比……"改写下面的语段。

> 我住的地方虽然离工作的地方比较远，但交通很方便。我可以坐公共汽车去公司，也可以坐地铁去。上下班高峰的时候，路上有时会堵车，因此坐地铁会更快一些。

3. 试试看，用"前者……，后者……"改写下面的语段。

> 生活在农村和城市都是不错的选择。生活在农村，环境比较安静，只是交通可能不是很方便。生活在城市，交通方便，但环境比不上农村。

4. 试试看，用两个"既……，又……"改写下面的句子。

> 选择私家车出行当然舒服，也不挤，但如果私家车越来越多，可能会让城市的交通更加拥挤，很多上下班的人可能会把更多的时间浪费在路上。

5. 请用"值得注意的是，……"和"另一个值得注意的现象是，……"说说你们国家
最近十年来生活情况的变化。

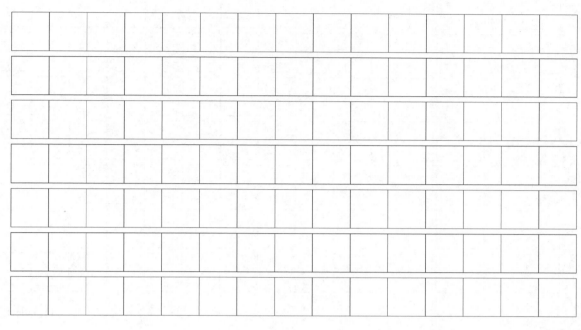

（100字）

小组活动 II：两人一组，分析下面的成绩单。（可以尝试使用范文《关于出行方式的调查》中的重点词语或结构）

口语	精读（综合）	听力	阅读	写作
90分	85分	80分	75分	95分

小组活动 III：下图是李明一个星期的花销情况，请根据图表内容，写一段话。（可以尝试使用范文《关于出行方式的调查》中的重点词语或结构）

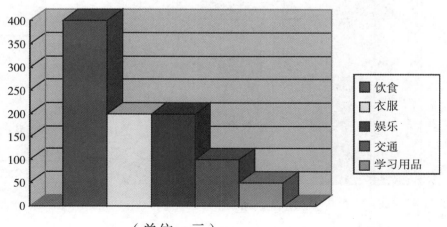

（单位：元）

				一	周	花	销	情	况	分	析			

（100字）

课后作文 ［建议用时：15分钟］

1. 参考题目：一个月的消费

下图是一个学生平均每个月的消费情况：

项目	租房	饮食	衣服	娱乐	学习用品	其他
支出	2000元	1000元	800元	1200元	200元	300元

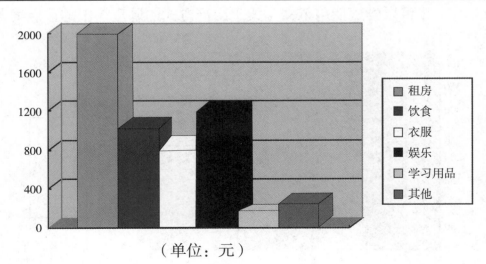

（单位：元）

2. 口头作文：

（1）我的题目是：＿＿＿＿＿＿＿＿＿

（2）我的写作思路是：＿＿＿＿＿＿＿＿＿＿＿＿＿＿＿＿＿＿

＿＿＿＿＿＿＿＿＿＿＿＿＿＿＿＿＿＿＿＿＿＿＿＿＿＿＿＿＿＿

（3）可能用到的词语、句式有：＿＿＿＿＿＿＿＿＿＿＿＿＿＿＿＿

＿＿＿＿＿＿＿＿＿＿＿＿＿＿＿＿＿＿＿＿＿＿＿＿＿＿＿＿＿＿

3. 作文要求：

（1）请根据上面的图表，写一篇400字左右的作文。

（2）内容表述清楚，层次分明，符合汉语的表达习惯。

（3）尽可能用上本课学习的语言知识（词汇、语法、关联词语、重点词语或结构
　　等）。

（4）最好写在方格稿纸上。

我的作品 [课下完成]

（100字）

（200字）

（300字）

（400字）

10 愉快的周末

✍ 教师总评

✍ 优佳表达

好
好
学
习

✎ 偏误分析

天
天
向
上

✎ 学习心得

愉快走入第10课

1 范文阅读 ［建议用时：10分钟］

1. 请同学们默读范文。
2. 教师领读或师生齐读范文。
3. 再次默读范文并体会文章的结构方式。

愉快的周末

来中国留学，最愉快的时间就是周末。

一般来说，每个星期五的下午就已经没有课了，所以周末从星期五下午就开始了。加上周六周日，一共是两天半的时间。周一到周五每天早上8点上课，让我很不习惯。而周末的时间完全是自己的，不用早起床，还可以做些自己感兴趣的事。

我喜欢美食①，周末的时候常常和朋友们一起体验②中国菜。体验中国菜当然可以去饭馆，但我一般不会选择在周末去饭馆。为了体验地道③的中国家庭菜，我一般会去朋友的家，几个人一起做中国菜。例如，我曾经在朋友的指导下，做过西红柿炒④鸡蛋、麻婆豆腐、宫保鸡丁等。为了学习一些菜的做

---

① 美食（měishí）：delicious food, choice food　精美的饮食，好吃的饭菜。
② 体验（tǐyàn）：experience by oneself　亲身经历。
③ 地道（dìdao）：real, genuine　真正的。
④ 炒（chǎo）：stir-fry　一种做菜的方法。

法，我还专门买了一本做菜的书。我发现在学做中国菜的同时，我的汉语也进步了。

周末的夜生活也是我非常喜欢的。我常常在星期五的晚上去酒吧，有时候和朋友一起去，有时候自己去。中国的酒吧和我们国家的差不多，各种牌子的酒都有，人也非常多。大部分人去酒吧，可能是为了喝酒，我去酒吧虽然也喝酒，但从来不会喝醉，因为我去酒吧多半是为了认识新朋友，喝酒只是我认识新朋友的一种方式。

此外⑤，我对郊游⑥也很感兴趣。如果周末天气好，我一定会骑上自行车，带上水和吃的，去郊外看看，呼吸呼吸新鲜的空气，放松⑦放松自己的心情，为下周的学习作好准备。

2 范文分析　[建议用时：15分钟]

1. 解读范文《愉快的周末》。

（1）找出说明"我"周末的时间的语句。

_____

（2）"我"对什么很不习惯？

_____

（3）找出说明"我"喜欢周末的原因的语句。

_____

（4）找出描写"我"体验中国菜做法的语句。

_____

（5）"我"都做过哪些中国菜？

_____

（6）找出描写中国酒吧的语句。

_____

（7）找出描写"我"去酒吧喝酒情况的语句。

_____

（8）找出说明"我"去酒吧目的的语句。

_____

---

⑤ 此外（cǐwài）：besides, in addition　除了上面说的情况以外。

⑥ 郊游（jiāoyóu）：outing, excursion　到郊外旅游。

⑦ 放松（fàngsōng）：relax　使自由，让压力变小。

（9）找出描写"我"周末郊游的语句。

_____

（10）文章一共写了"我"周末生活的几件事？

_____

2. 分析范文《愉快的周末》的写作思路。

《愉快的周末》介绍了"我"在中国的周末生活。文章首先说周末的时间很愉快，接着说明了_____，然后分别介绍了"我"周末常常做的三件事：_____、_____、_____。

3. 熟悉范文《愉快的周末》中的表达范例。

重点词语或结构	例　句
一般来说	**一般来说，每个星期五的下午就已经没有课了。**
	一般来说，每天下午2点她都会在办公室。
在……下	**我曾经在朋友的指导下，做过西红柿炒鸡蛋、麻婆豆腐、宫保鸡丁等。**
	她曾经在十分危险的情况下帮过我，我一直都很感激她。
此外	**此外，我对郊游也很感兴趣。**
	我喜欢读小说，此外，对历史和哲学也有兴趣。
对……感兴趣	**此外，我对郊游也很感兴趣。**
	除了乒乓球，我对足球和羽毛球也很感兴趣。
v.v.（动词重叠）	**呼吸呼吸新鲜的空气，放松放松自己的心情。**
	周末的时候，可以整理整理房间，看看电视。

3写作实践　［建议用时：20分钟］

小组活动I：两人一组，试一试，写一写。（可以增加、减少或改变一些词语）

1. 下面的句子中，什么地方可以加上"虽然"？哪一个词语可以换成"而"？

> 大部分人去酒吧，可能是为了喝酒，但我去酒吧多半是为了认识新朋友。
>
> _____
>
> _____

2. 试试看，用"对……感兴趣"和"此外"改写下面的语段。

> 我非常喜欢做中国菜，和朋友们一起享受美食生活。我也非常喜欢酒吧夜生活，在那儿，既能喝到各种牌子的啤酒，又能认识很多新朋友。

3. 下面的语段中，什么地方可以加上"一般来说"？

> 来中国留学，最愉快的时间就是周末。周一到周五每天早上8点上课，让我很不习惯。而周末的时间完全是自己的，想做什么就做什么，很自由。

4. 试试看，把"此外"后面的内容补充完整。

> 在朋友的帮助下，我很快就适应了这里的生活。此外，_____

5. 试试看，用"v. v.（动词重叠）"介绍一下你的周末生活。

		一	般	来	说	，	我	周	末	都	没	有	什	么
重	要	的	事	儿	。									

（80字）

6. 请模仿下面的语段，写一写你的兴趣或爱好。（请注意变色字部分）

> 此外，我对郊游也很感兴趣。如果周末天气好，我一定会骑上自行车，带上水和吃的，去郊外看看，呼吸呼吸新鲜的空气，放松放松自己的心情，为下周的学习作好准备。

（100字）

小组活动 II：两人一组，说说你在你们国家的周末生活。（可以尝试使用范文《愉快的周末》中的重点词语或结构）

小组活动 III：两人一组，互相介绍自己在中国的周末生活。（可以尝试使用范文《愉快的周末》中的重点词语或结构）

		我	在	中	国	的	周	末	生	活			

（100字）

课后作文 ［建议用时：15分钟］

1. 参考题目：（请选择一个题目，你也可以自己想一个题目）

（1）我的周末生活

（2）愉快的留学生活

（3）难忘的大学生活

（4）＿＿＿＿＿＿＿＿＿＿＿

2. 口头作文：

（1）我选择的题目是：＿＿＿＿＿＿＿＿＿＿＿

（2）我的写作思路是：＿＿＿＿＿＿＿＿＿＿＿＿＿＿＿＿＿

＿＿＿＿＿＿＿＿＿＿＿＿＿＿＿＿＿＿＿＿＿＿＿＿＿＿＿＿＿

（3）可能用到的词语、句式有：＿＿＿＿＿＿＿＿＿＿＿＿＿＿＿

＿＿＿＿＿＿＿＿＿＿＿＿＿＿＿＿＿＿＿＿＿＿＿＿＿＿＿＿＿

3. 作文要求：

（1）请根据你选择的题目，写一篇400～500字的作文。

（2）内容表述清楚，层次分明，符合汉语的表达习惯。

（3）尽可能用上本课学习的语言知识（词汇、语法、关联词语、重点词语或结构等）。

（4）最好写在方格稿纸上。

我的作品 ［课下完成］

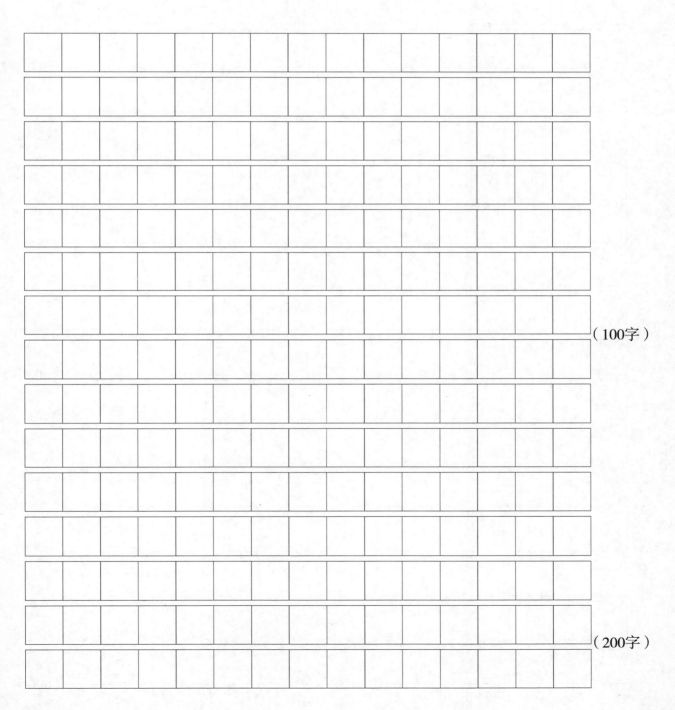

（100字）

（200字）

（300字）

（400字）

（500字）

11 橘子皮的用途

📋 教师总评

📋 优佳表达

好
好
学
习

偏误分析

天
天
向
上

学习心得

愉快走入第11课

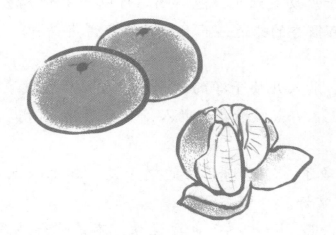

1 **范文阅读** ［建议用时：10分钟］

1. 请同学们默读范文。
2. 教师领读或师生齐读范文。
3. 再次默读范文并体会文章的结构方式。

橘子皮的用途

橘子是一种很好的水果，它不但好吃，而且营养丰富。橘子的果肉中有大量的维生素①C，比苹果、梨、葡萄等水果要高出几十倍。维生素C对人们的健康非常重要，它不但能够让身体更加健康，还能够预防②一些疾病。

你可能会说，这些我都知道。可是你知道吗，橘子皮中的维生素C比果肉中的还要丰富。你可能会问，虽然橘子皮含有大量的维生素，但橘子皮能吃吗？回答是"能"。下面我就给你介绍几种橘子皮的吃法。

一、橘皮酒

把少量的橘子皮洗干净、晒干，泡③在白酒中，大约20天后，就可以喝了。如果你得了感冒、咳嗽，橘皮酒对你就特别合适，因为晒干了的橘子皮还有一个名字叫"陈皮"。陈皮是中药，可以止咳化痰④。

---

① 维生素（wéishēngsù）：vitamin　维他命。
② 预防（yùfáng）：take precautions against　事先防备。
③ 泡（pào）：soak　长时间放在水等液体中。
④ 止咳化痰（zhǐ ké huà tán）：dissolve phlegm and arrest coughs　治疗咳嗽，除痰。

二、橘皮茶

把洗干净的橘子皮切成丝儿，泡茶喝。可以只用开水泡，也可以和茶叶一起泡。橘皮茶不仅有很香的味道，而且会让人变得有精神。

三、橘皮粥⑤

在做大米粥时，放入几块干净的橘子皮，煮熟后就成了橘皮粥。橘皮粥不仅好喝，而且对消化不好或咳嗽痰多的人，具有治疗⑥作用。

四、橘皮汤

如果你喝酒喝多了，可以用新鲜的橘子皮，加上一点儿盐，做成汤喝下去，醒酒⑦的效果非常好。

橘子虽然是好东西，但吃橘子也要注意，不是吃得越多越好。一般来说，橘子每天最多只能吃3个，因为每人每天需要的维生素C吃3个橘子就足够了，吃多了反而⑧对牙齿有害。

2 范文分析　［建议用时：15分钟］

1. 解读范文《橘子皮的用途》。

（1）找出介绍橘子这种水果的语句。

_____

（2）找出说明维生素C作用的语句。

_____

（3）找出介绍果肉和橘子皮中的维生素C的语句。

_____

（4）找出说明橘皮酒作用的语句。

_____

（5）怎么做橘皮茶？

_____

（6）橘皮粥的用途是什么？

_____

---

⑤ 粥（zhōu）：porridge　用粮食和水煮成的半流质食物。

⑥ 治疗（zhìliáo）：treat, cure　消除疾病。

⑦ 醒酒（xǐngjiǔ）：dispel the effects of alcohol, sober up　使人从醉酒到清醒。

⑧ 反而（fǎn'ér）：on the contrary, instead　表示和想的相反。

（7）吃橘子应该注意什么？

（8）找出文中表示并列关系的关联词语。

（9）找出文中表示比较的句子。

（10）文章一共介绍了橘子皮的几种吃法？

2. 分析范文《橘子皮的用途》的写作思路。

《橘子皮的用途》主要介绍了橘子皮的用途和吃法。和其他水果相比，橘子的果肉＿＿＿＿＿＿，和果肉相比，橘子皮＿＿＿＿＿＿＿＿＿＿＿＿＿。作者一共介绍了橘子皮的四种吃法，分别是＿＿＿＿＿＿＿＿＿＿＿、＿＿＿＿＿＿＿、＿＿＿＿＿＿＿和＿＿＿＿＿＿＿＿＿＿＿。文章最后指出，＿＿＿＿＿＿＿＿＿＿＿。

3. 熟悉范文《橘子皮的用途》中的表达范例。

重点词语或结构	例　句
不但……，而且……	橘子是一种很好的水果，它不但好吃，而且营养丰富。
	新的图书馆真不错，不但增加了座位，而且买了不少新书。
比……还……	橘子皮中的维生素 C 比果肉中的还要丰富。
	北京的冬天很冷，可哈尔滨的冬天比北京还要冷。
把 + n. / NP+ v. + C	把少量的橘子皮洗干净、晒干，泡在白酒中。
	我把作业写完，把房间打扫干净，就去跑步了。
v. + n. / NP + v. + C	如果你喝酒喝多了，可以用新鲜的橘子皮，加上一点儿盐，做成汤喝下去。
	看书看累的时候，可以躺在沙发上睡一小会儿。
反而	橘子每天最多只能吃 3 个，吃多了反而对牙齿有害。
	有些事情不需要解释太多，解释多了反而让人觉得不可信。

3 写作实践　［建议用时：20分钟］

小组活动 I：两人一组，试一试，写一写。（可以增加、减少或改变一些词语）

1. 试试看，用"不但……，而且……"改写下面的语段。

> 把洗干净的橘子皮切成丝儿，泡茶喝。可以只用开水泡，也可以和茶叶一起泡。

2. 试试看，用"比……还……"改写下面的句子。

> 橘子的果肉中有大量的维生素C，比苹果、梨、葡萄等水果要高出几十倍。

3. 试试看，用"不但……，而且……"把下面的句子补充完整。

> 牛奶是一种非常健康的饮品。

4. 请模仿下面的语段，说说"咖啡不是喝得越多越好"。

> 橘子虽然是好东西，但吃橘子也要注意，不是吃得越多越好。一般来说，橘子每天最多只能吃3个，因为每人每天需要的维生素C吃3个橘子就足够了，吃多了反而对牙齿有害。

5. 请模仿下面的语段，写一段话。

> 如果你得了感冒、咳嗽，橘皮酒对你就特别合适，因为晒干了的橘子皮还有一个名字叫"陈皮"。陈皮是中药，可以止咳化痰。

（60字）

6. 请模仿下面的语段，介绍一下酸奶。（请注意变色字部分）

> 你可能会说，这些我都知道。可是你知道吗，橘子皮中的维生素 C 比果肉中的还要丰富。你可能会问，虽然橘子皮含有大量的维生素，但橘子皮能吃吗？回答是"能"。下面我就给你介绍几种橘子皮的吃法。

（100字）

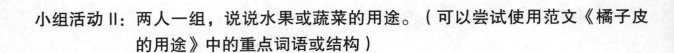

小组活动 II：两人一组，说说水果或蔬菜的用途。（可以尝试使用范文《橘子皮的用途》中的重点词语或结构）

小组活动 III：两人一组，说说咖啡的用途。（可以尝试使用范文《橘子皮的用途》中的重点词语或结构）

					咖	啡	的	用	途				

（100字）

课后作文　[建议用时：15分钟]

1. 参考题目：（请选择一个题目，你也可以自己想一个题目）

（1）咖啡的用途

（2）水果的用途

（3）酸奶（或牛奶）的用途

（4）＿＿＿＿＿＿＿＿＿＿

2. 口头作文：

（1）我选择的题目是：＿＿＿＿＿＿＿＿＿＿

（2）我的写作思路是：＿＿＿＿＿＿＿＿＿＿＿＿＿＿

＿＿＿＿＿＿＿＿＿＿＿＿＿＿＿＿＿＿＿＿＿＿＿＿

（3）可能用到的词语、句式有：＿＿＿＿＿＿＿＿＿＿＿

＿＿＿＿＿＿＿＿＿＿＿＿＿＿＿＿＿＿＿＿＿＿＿＿

3. 作文要求：

（1）请根据你选择的题目，写一篇500～600字的作文。

（2）内容表述清楚，层次分明，符合汉语的表达习惯。

（3）尽可能用上本课学习的语言知识（词汇、语法、关联词语、重点词语或结构等）。

（4）最好写在方格稿纸上。

我的作品 ［课下完成］

（100字）

（200字）

（300字）

（400字）

（500字）

（600字）

12 语言学家赵元任

上次作文讲评 [建议用时：35分钟]

教师总评

优佳表达

偏误分析

学习心得

愉快走入第12课

1 范文阅读 ［建议用时：10分钟］

1. 请同学们默读范文。
2. 教师领读或师生齐读范文。
3. 再次默读范文并体会文章的结构方式。

语言学家赵元任

赵元任（1892~1982）是中国江苏常州人，生于天津。他会说33种汉语方言①，并精通②英语、法语、西班牙语、德语等多国语言，被称为"中国现代语言学之父"。凡是研究中国语言文学的人，几乎都读过赵元任的语言学著作。他的《中国话的文法》，在美国被认为是学习汉语语法最好的课本。

赵元任从小就表现出语言天才，各种方言一学就会。他掌握语言的能力非常惊人，能迅速掌握一种语言的声母、韵母和声调系统，并总结出使用规律。

赵元任一生最大的快乐，是到了世界任何地方，当地人都称他"老乡③"。

二战后，他到法国参加会议。在巴黎车站，他对工作人员讲巴黎的方言，对方听了，以为他是地道的巴黎人，于是说："你回来了啊，现在可不如从前了，巴黎穷了。"

---

① 方言（fāngyán）：dialect 只在一个地区使用的话。
② 精通（jīngtōng）：be proficient in 完全了解并熟练掌握。
③ 老乡（lǎoxiāng）：fellow-townsman 同乡。

后来，他到德国柏林，用带柏林口音④的德语和当地人聊天儿。邻居一位老人对他说："上帝保佑，你躲过了这场灾难⑤，平平安安地回来了。"

1920 年，英国哲学家罗素（Russell）来中国演讲，赵元任当翻译。每到一个新地方，他都用当地的方言来翻译。他在去长沙的路上向湖南人学习长沙话，等到了长沙，已经能用长沙当地的方言翻译了。演讲结束后，竟有人跑来称呼他老乡。

赵元任说自己研究语言是为了"好玩儿"。在现代人看来，简单的一句"好玩儿"其实有很多深意。因为好玩儿不是功利主义⑥，而是一种兴趣和爱好。

语言学是赵元任研究最深的领域⑦，但他同时还给学生上物理课和逻辑⑧课。赵元任也爱好音乐，写过一百多部音乐作品。

2 范文分析　[建议用时：15分钟]

1. 解读范文《语言学家赵元任》。

（1）赵元任会说哪些语言？

_____

（2）找出介绍赵元任语言学著作的语句。

_____

（3）找出描写赵元任语言能力的语句。

_____

（4）什么是赵元任一生最大的快乐？

_____

（5）找出赵元任和巴黎人对话的语句。

_____

（6）找出赵元任和柏林人对话的语句。

_____

---

④ 口音（kǒuyīn）：accent　带有方言的语音。
⑤ 灾难（zāinàn）：disaster　自然或人为造成的严重灾害和痛苦。
⑥ 功利主义（gōnglì zhǔyì）：utilitarianism　以实际利益为行为标准的一种理论观点。
⑦ 领域（lǐngyù）：field, domain　范围。
⑧ 逻辑（luóji）：logic　思维的规律。

（7）赵元任怎么给罗素当翻译？

＿＿＿＿＿＿＿＿＿＿＿＿＿＿＿＿＿＿＿＿＿＿＿＿＿＿＿＿＿＿＿＿＿＿

（8）找出文中的"被"字句。

＿＿＿＿＿＿＿＿＿＿＿＿＿＿＿＿＿＿＿＿＿＿＿＿＿＿＿＿＿＿＿＿＿＿

（9）现代人如何理解赵元任研究语言是为了"好玩儿"？

＿＿＿＿＿＿＿＿＿＿＿＿＿＿＿＿＿＿＿＿＿＿＿＿＿＿＿＿＿＿＿＿＿＿

（10）赵元任都对哪些领域感兴趣？

＿＿＿＿＿＿＿＿＿＿＿＿＿＿＿＿＿＿＿＿＿＿＿＿＿＿＿＿＿＿＿＿＿＿

2. 分析范文《语言学家赵元任》的写作思路。

《语言学家赵元任》首先写了＿＿＿＿＿＿＿＿＿＿＿＿＿＿＿＿，接着评价赵元任是一个语言天才，然后通过三件事来说明赵元任一生最大的快乐是被别人称为"老乡"：＿＿＿＿＿＿＿
＿＿＿＿＿＿＿＿＿＿、＿＿＿＿＿＿＿＿＿＿＿＿＿＿、＿＿＿＿＿＿＿＿＿＿＿＿＿＿＿＿。最后，文章还简单介绍了赵元任的＿＿＿＿＿＿＿＿＿＿＿＿＿＿和＿＿＿＿＿＿＿＿＿＿＿
＿＿＿＿。

3. 熟悉范文《语言学家赵元任》中的表达范例。

重点词语或结构	例　句
凡是……，都……	凡是研究中国语言文学的人，几乎都读过赵元任的语言学著作。
	通知说，凡是参加周末旅游的人，都必须提前报名。
几乎	凡是研究中国语言文学的人，几乎都读过赵元任的语言学著作。
	对一般人来说，掌握那么多方言和多国语言，几乎是不可能的。
竟	演讲结束后，竟有人跑来称呼他老乡。
	昨天遇到了一位以前的同学，我竟想不起他的名字了。
在……看来	在现代人看来，简单的一句"好玩儿"其实有很多深意。
	在很多人看来，他放弃那么好的一份工作，真是太傻了。
不是……，而是……	因为好玩儿不是功利主义，而是一种兴趣和爱好。
	这件事不是你一个人的错，而是大家共同的责任。

3 写作实践 ［建议用时：20分钟］

小组活动 I：两人一组，试一试，写一写。（可以增加、减少或改变一些词语）

1. 试试看，用"被"字句改写下面的句子。

> 赵元任一生最大的快乐，是到了世界任何地方，当地人都称他"老乡"。

2. 试试看，用"几乎"和"凡是……，都……"改写下面的语段。

> 在美国，当时每一个学习汉语的人，差不多都读过赵元任先生的《中国话的文法》。这本书在美国被认为是学习汉语语法最好的课本。

3. 试试看，用"不但……，而且……"改写下面的句子。

> 他会说 33 种汉语方言，并精通英语、法语、西班牙语、德语等多国语言，被称为"中国现代语言学之父"。

4. 试试看，用"不是……，而是……"改写下面的语段。

> 赵元任不喜欢别人把他当做名人。他到世界任何地方，如果有当地人称他"老乡"，他会觉得是最大的快乐。

5. 试试看，用"在一般人看来"把下面的语段补充完整。

> 赵元任会说33种汉语方言，并精通英语、法语、西班牙语、德语等多国语言。在一般人看来，_____

6. 请模仿下面的语段，介绍一位你熟悉的名人。

> 赵元任从小就表现出语言天才，各种方言一学就会。他掌握语言的能力非常惊人，能迅速掌握一种语言的声母、韵母和声调系统，并总结出使用规律。

（80字）

小组活动 II：两人一组，说说你对赵元任的了解。（可以尝试使用范文《语言学家赵元任》中的重点词语或结构）

小组活动 III：两人一组，简单介绍一位你熟悉的名人。（可以尝试使用范文《语言学家赵元任》中的重点词语或结构）

				我	熟	悉	的	一	位	名	人			

（100字）

课后作文 ［建议用时：15分钟］

1. 参考题目：（请选择一个题目，你也可以自己想一个题目）

（1）音乐家莫扎特

（2）伟人邓小平（或毛泽东）

（3）哲学家柏拉图

（4）_____

2. 口头作文：

（1）我选择的题目是：_____

（2）我的写作思路是：_____

_____

（3）可能用到的词语、句式有：_____

_____

3. 作文要求：

（1）请根据你选择的题目，写一篇500~600字的作文。

（2）内容表述清楚，层次分明，符合汉语的表达习惯。

（3）尽可能用上本课学习的语言知识（词汇、语法、关联词语、重点词语或结构等）。

（4）最好写在方格稿纸上。

我的作品 ［课下完成］

（100字）

（200字）

（300字）

（400字）

（500字）

（600字）

13

如果我是公司老板

上次作文讲评 [建议用时：35分钟]

✎ 教师总评

✎ 优佳表达

好
好
学
习

偏误分析

天
天
向
上

学习心得

愉快走入第13课

1 范文阅读 [建议用时：10分钟]

1. 请同学们默读范文。
2. 教师领读或师生齐读范文。
3. 再次默读范文并体会文章的结构方式。

如果我是公司老板

　　如果我是公司老板，首先我要了解每一个员工。我会努力去发现每个员工的优点和缺点，根据每个员工的性格和能力，安排不同的工作。如果有的员工因为自己的缺点犯^①了错误，我会想办法让他（她）知道出现错误的原因，然后给他（她）一些好的建议，而不是一直批评。除了了解员工的优缺点，我还会了解每个员工的生活情况，帮助那些生活有困难的员工。为了了解员工，我会每天找时间和员工聊一聊，或者一起吃饭。

　　如果我是公司老板，我会努力建立和员工的融洽^②关系。融洽的同事^③关系，是公司健康发展最重要的基础。如果员工与员工之间、老板与员工之间能够建立起融洽的关系，大家就会工作得非常愉快，公司的事业就会发展得越来越好。相反，如果彼此^④之间的关系不融洽，就会对公司的发展产生负面^⑤影

---

① 犯（fàn）：commit (a mistake, crime, etc.)　发生（错误的事）。

② 融洽（róngqià）：be on good terms　关系、感情很好。

③ 同事（tóngshì）：colleague, mate　在同一个单位工作的人。

④ 彼此（bǐcǐ）：each other, one another　那个和这个；双方。

⑤ 负面（fùmiàn）：negative　坏的，不好的一面。

响。为了和员工之间建立融洽的关系，我会想办法让自己变得有幽默感⑥。因为研究发现，具有幽默感的老板往往比较容易和员工建立起融洽的关系。

如果我是公司老板，我会建立一套客观⑦标准来评价⑧员工，而不是完全依靠我个人的感觉来判断。虽然个人感觉有时也很重要，但如果只依靠这种个人感觉来评价员工，往往会对一些员工产生偏见⑨。为了科学、公平地评价员工，我会让所有员工一起来讨论并决定评价标准，而不是我一个人说了算。

最后，如果我是公司老板，我还会努力让自己成为员工的好榜样⑩。如不迟到、努力工作、出错时承认自己的错误等。

总之，如果我是公司老板，我会努力做到上面几点，让自己成为一个优秀的老板。

2 范文分析　　[建议用时：15分钟]

1. 解读范文《如果我是公司老板》。

（1）作为公司老板，首先要做的是什么？

_____

（2）了解员工包括哪些方面？

_____

（3）找出描写对待员工错误的语句。

_____

（4）找出描写同事关系融洽重要性的语句。

_____

（5）如何和员工建立融洽的关系？

_____

（6）作为公司老板，应如何评价员工？

_____

（7）找出表示目的关系的语句。

_____

---

⑥ 幽默感（yōumò gǎn）: humour　让人觉得有趣、有意思的一种品质。
⑦ 客观（kèguān）: objective　和人的主观想法没有关系的。
⑧ 评价（píngjià）: evaluate, appraise　判断好坏。
⑨ 偏见（piānjiàn）: prejudice　不客观的，对一方有利的看法。
⑩ 榜样（bǎngyàng）: good example　要学习的好的人或事。

（8）如何制定评价标准？

_____

（9）文章一共列出了几个"成为一个优秀老板"的条件？

_____

2. 分析范文《如果我是公司老板》的写作思路。

《如果我是公司老板》一共列出了4条"成为一个优秀老板"的条件：_____

_____、_____、_____、_____

_____，最后是文章的结论。

3. 熟悉范文《如果我是公司老板》中的表达范例。

重点词语或结构	例　句
根据……	**根据**每个员工的性格和能力，安排不同的工作。
	根据新的规定，餐馆、车站等公共场所禁止吸烟。
相反	**相反**，如果彼此之间的关系不融洽，就会对公司的发展产生负面影响。
	靠第一印象评价员工，往往会产生偏见。**相反**，如果有一套客观标准，就比较科学、公正。
彼此	如果**彼此**之间的关系不融洽，就会对公司的发展产生负面影响。
	他们结婚二十多年了，**彼此**之间互相信任，关系融洽。
往往	具有幽默感的老板**往往**比较容易和员工建立起融洽的关系。
	员工之间关系融洽，对公司的发展**往往**会产生意想不到的效果。
而不是	我会建立一套客观标准来评价员工，**而不是**完全依靠我个人的感觉来判断。
	评价一个校长，应该看他为学校做了什么，**而不是**看他说了什么。

3 写作实践　[建议用时：20分钟]

小组活动 I：两人一组，试一试，写一写。（可以增加、减少或改变一些词语）

1. 试试看，用"根据……"改写下面句子的画线部分。

> 如果我是公司老板，<u>我会建立一套客观标准来评价员工，而不是完全依靠我个人的感觉来判断。</u>

_____

_____

2. 请模仿"为了了解员工，我会每天找时间和员工聊一聊，或者一起吃饭"，改写下面的句子。

> 总之，如果我是公司老板，我会努力做到上面几点，让自己成为一个优秀的老板。

3. 试试看，用"相反"改写下面的句子。

> 如果有的员工因为自己的缺点犯了错误，我会想办法让他（她）知道出现错误的原因，然后给他（她）一些好的建议，而不是一直批评。

4. 试试看，把"而不是"后面的内容补充完整。

> 研究发现，具有幽默感的老板往往比较容易和员工建立起融洽的关系。为了和员工之间建立融洽的关系，我会想办法让自己变得有幽默感，而不是

5. 试试看，用"相反"、"总之"把后面的内容补充完整。

> 如果彼此之间的关系不融洽，就会对公司的发展产生负面影响。相反，_____。
>
> 总之，

6.请模仿下面的语段，写一段话。（请注意变色字部分）

> 最后，如果我是公司老板，我还会努力让自己成为员工的好榜样。如不迟到、努力工作、出错时承认自己的错误等。

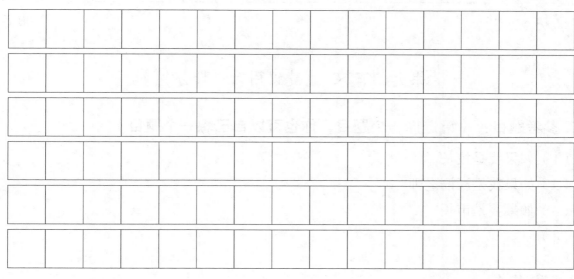

（80字）

小组活动 II： 两人一组，说说如何做一名优秀的公司老板。（可以尝试使用范文《如果我是公司老板》中的重点词语或结构）

小组活动 III： 两人一组，互相说一说应该如何做一名大学校长，并写一写。（可以尝试使用范文《如果我是公司老板》中的重点词语或结构）

		如	何	做	一	名	大	学	校	长		

<table>
<tr><td></td><td></td><td></td><td></td><td></td><td></td><td></td><td></td><td></td><td></td><td></td><td></td><td></td><td></td></tr>
<tr><td></td><td></td><td></td><td></td><td></td><td></td><td></td><td></td><td></td><td></td><td></td><td></td><td></td><td></td></tr>
<tr><td></td><td></td><td></td><td></td><td></td><td></td><td></td><td></td><td></td><td></td><td></td><td></td><td></td><td></td></tr>
</table>

（100字）

课后作文 ［建议用时：15分钟］

1. 参考题目：（请选择一个题目，你也可以自己想一个题目）

（1）如果我是校长

（2）如果我是汉语老师

（3）如果我是市长

（4）_____

2. 口头作文：

（1）我选择的题目是：_____

（2）我的写作思路是：_____

_____

（3）可能用到的词语、句式有：_____

_____

3. 作文要求：

（1）请根据你选择的题目，写一篇500～600字的作文。

（2）内容表述清楚，层次分明，符合汉语的表达习惯。

（3）尽可能用上本课学习的语言知识（词汇、语法、关联词语、重点词语或结构等）。

（4）最好写在方格稿纸上。

我的作品 ［课下完成］

（100字）

（200字）

（300字）

（400字）

（500字）

（600字）

一件小事

上次作文讲评 ［建议用时：35分钟］

教师总评

优佳表达

好
好
学
习

偏误分析

天
天
向
上

学习心得

愉快走入第14课

1 范文阅读 ［建议用时：10分钟］

1. 请同学们默读范文。
2. 教师领读或师生齐读范文。
3. 再次默读范文并体会文章的结构方式。

一件小事

　　我和朋友约好，9点在中山书店门口见面。为了及时赶到中山书店，我早早儿地就从家里出来了。

　　从我租的房子到地铁站，走路不到十分钟。朋友告诉我，到中山书店得坐十站。我走进地铁站，在入口处刷了卡，就进去了。等了不一会儿，车就来了。

　　我上了车，车上已经没有座位了。我迅速向周围看了一眼，除了我，好像没有其他外国人了。我找了个人少的地方，倚靠①在车厢②上，打开手机继续看中文小说。看着看着，我突然觉得车厢内有不少人在盯③着我看。有的人看我，然后我看他一眼后，他就不再看我了；可是有些人却一直在盯着我看，我看他一眼，他仍然非常认真地盯着我。这让我有点儿不舒服，中文小说也看不下去

―――――――――――――

① 倚靠（yǐkào）: lean against　身体靠在物体上。

② 车厢（chēxiāng）: railway carriage　火车、汽车等用来载人或装东西的部分。

③ 盯（dīng）: stare　一直看。

了。于是我去看车厢内的广告。过了一会儿，我发现还有人在盯着我看。我觉得非常不舒服。车开得很快，不断地有人上下车，但总是有人以不同的方式看我：有的看我一眼，有的看我几眼，有的就一直盯着我看。我越来越不舒服，真想赶快下车。

为什么那么多人喜欢看我呢？他们到底怎么了？我只是一个普普通通的外国人，难道他们从来没有见过外国人吗？

见到朋友，我生气地告诉他我的遭遇④。没想到朋友却哈哈大笑起来。他问："他们看看你，怎么了？"我说："没怎么。在我们国家，如果有人这样盯着一个人看，是非常不礼貌的。如果一直盯着看，说不定会发生冲突⑤。"朋友笑着说："他们盯着你看，没有任何恶意⑥，也许只是觉得好奇⑦罢了，你得入乡随俗⑧。"

我们走进书店看书。我却一直在想：为什么他们一直盯着我看呢？我又不是明星……

2 范文分析 ［建议用时：15分钟］

1. 解读范文《一件小事》。

（1）找出描写"我"从家出发的语句。

_____

（2）找出说明从"我"家到地铁站距离的语句。

_____

（3）找出描写"我"进入地铁站的语句。

_____

（4）找出描写车上情况的语句。

_____

（5）上车以后"我"干什么了？

_____

---

④ 遭遇（zāoyù）：bitter experience, misfortune　遇到的坏事。

⑤ 冲突（chōngtū）：conflict　发生矛盾或争斗。

⑥ 恶意（èyì）：evil intention　坏的用意。

⑦ 好奇（hàoqí）：curious　觉得奇怪。

⑧ 入乡随俗（rù xiāng suí sú）：When in Rome, do as the Romans do.　到一个地方，就按照那个地方的风俗习惯生活。

（6）找出描写"他们"看"我"的语句。

（7）找出描写"我"的心情的语句。

（8）找出描写"我"的疑问的语句。

（9）朋友是怎么向"我"解释的？

（10）文章写了一件什么事？

2. 分析范文《一件小事》的写作思路。

《一件小事》的写作思路是：＿＿＿＿＿＿＿＿＿＿＿＿→"我"到了地铁站→
＿＿＿＿＿＿＿＿＿＿＿→"我"的疑问→＿＿＿＿＿＿＿＿＿＿＿→"我"
还是不明白。

3. 熟悉范文《一件小事》中的表达范例。

重点词语或结构	例　句
不一会儿	等了不一会儿，车就来了。
	她说去看电影，可过了不一会儿，又回来了。
除了……，没（有）/不……	我迅速向周围看了一眼，除了我，好像没有其他外国人了。
	除了我生活的城市，我从来没去过别的地方。
以	总是有人以不同的方式看我：有的看我一眼，有的看我几眼，有的就一直盯着我看。
	春节到了，人们以多种形式庆祝节日：家人团聚、贴春联、放鞭炮、逛庙会等。
难道……吗	难道他们从来没有见过外国人吗？
	难道你真的要放弃这么难得的机会吗？
只是……罢了	他们盯着你看，没有任何恶意，也许只是觉得好奇罢了。
	我对文学没有什么研究，只是觉得好玩儿罢了。

3 写作实践 ［建议用时：20分钟］

小组活动I：两人一组，试一试，写一写。（可以增加、减少或改变一些词语）

1. 下面的句子中，什么地方省略了"我"？

> 我找了个人少的地方，倚靠在车厢上，打开手机继续看中文小说。

2. 试试看，用"不一会儿"改写下面的语段。

> 为了及时赶到中山书店，我早早儿地就从家里出来了。从我租的房子到地铁站很近，我走路去，很快就到了。

3. 试试看，用"只是……罢了"改写下面的语段。

> 我不过是一个普普通通的外国人，为什么那么多人喜欢盯着我看呢？难道他们从来没有见过外国人吗？

4. 试试看，用"以……的方式"改写下面的语段。

> 不同的人表达感情的方式也会不同。有的人通过唱歌表达感情，有的人通过写作表达感情，还有的人通过朗读诗歌表达感情。

5. 试试看，把下面语段中的疑问句改成陈述句。

> 我只是一个普普通通的外国人，难道他们从来没有见过外国人吗？走进书店后，我一直在想：为什么他们一直盯着我看呢？我又不是明星……

_____

_____

6. 请模仿下面的语段，把"这让我很不习惯"前面的内容补充完整。（变色文字已给出模仿示例）

> 我突然觉得车厢内有不少人在盯着我看。有的人看我，然后我看他一眼后，他就不再看我了；可是有些人却一直在盯着我看，我看他一眼，他仍然非常认真地盯着我。这让我有点儿不舒服，中文小说也看不下去了。

						这	让	我	很	不	习	惯	。

（100字）

小组活动 II：如果范文《一件小事》中的外国人是你，你会怎么办？两人一组，说说你的感受。（可以尝试使用范文《一件小事》中的重点词语或结构）

小组活动 III：两人一组，互相说一说你在中国遇到的不习惯的事，并写一写。
（可以尝试使用范文《一件小事》中的重点词语或结构）

		我	在	中	国	遇	到	的	不	习	惯	的	事	

（100字）

课后作文 ［建议用时：15分钟］

1. 参考题目：（请选择一个题目，你也可以自己想一个题目）

（1）一件小事

（2）小事不小

（3）难忘的一件事

（4）＿＿＿＿＿＿＿＿

2. 口头作文：

（1）我选择的题目是：＿＿＿＿＿＿＿＿

（2）我的写作思路是：＿＿＿＿＿＿＿＿＿＿＿＿＿＿＿＿＿＿＿＿

＿＿＿＿＿＿＿＿＿＿＿＿＿＿＿＿＿＿＿＿＿＿＿＿＿＿＿

（3）可能用到的词语、句式有：＿＿＿＿＿＿＿＿＿＿＿＿＿＿＿＿

＿＿＿＿＿＿＿＿＿＿＿＿＿＿＿＿＿＿＿＿＿＿＿＿＿＿＿

3. 作文要求：

（1）请根据你选择的题目，写一篇500～600字的作文。

（2）内容表述清楚，层次分明，符合汉语的表达习惯。

（3）尽可能用上本课学习的语言知识（词汇、语法、关联词语、重点词语或结构
   等）。

（4）最好写在方格稿纸上。

我的作品 ［课下完成］

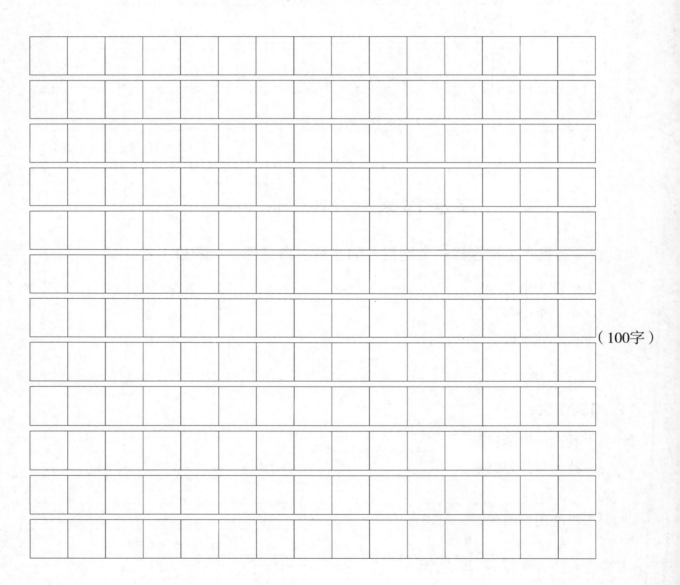

（100字）

（200字）

（300字）

（400字）

（500字）

（600字）

15 你真是个好孩子

上次作文讲评 ［建议用时：35分钟］

教师总评

优佳表达

好
好
学
习

偏误分析

学习心得

愉快走入第15课

1 **范文阅读** ［建议用时：10分钟］

1. 请同学们默读范文。
2. 教师领读或师生齐读范文。
3. 再次默读范文并体会文章的结构方式。

你真是个好孩子

　　所有的父母都希望自己的孩子是个好孩子。在中国，我也常常听到大人对孩子说这样的话：你真是个好孩子！父母对孩子的这种表扬，表现了他们的一种思想观念，即在他们眼中，一个听话、懂事的孩子才是好孩子。

　　那么，什么是听话和懂事呢？听话，当然是听父母、老师等大人的话。也就是说，孩子应该按照①大人的意思去做事，而不是按照自己的想法②去做事。懂事，就是知道一些道理。当然，这些道理必须是大人觉得对的。

　　最近，有一项关于"好孩子"标准的调查，我觉得很能说明问题。在被问到"您对自己的孩子最满意哪一点"时，2904名父母回答了这一问题。其中有38%的家长对孩子"学习努力认真"满意，有26%的家长对孩子"听父母和老师的话"满意，有20%的家长对孩子"诚实、有信用"满意，有12%的家长

---

① 按照（ànzhào）：according to　根据。
② 想法（xiǎngfǎ）：idea, opinion　思考得出的结果。

对孩子"做家务③"满意，而对孩子"有创造力和想象力"、"有自己的看法"、"好奇心强"、"能与人合作"等满意的家长总共不到5%。这项调查充分说明，在大多数家长的眼中，只有那些爱学习、听话、诚实的孩子才是好孩子。

当然，听父母和老师的话、学习好、诚实的孩子的确④是"好孩子"。但是，大人的这些标准，可能会成为孩子追求⑤的目标。因此，孩子可能会在生活中完全按照父母和老师的意思去表现自己，而没有自己的想法。

我们的时代是一个充满竞争⑥的时代，这个时代需要的是有创造力、能独立思考⑦、能和他人交往与合作的人。然而，"你真是个好孩子"的表扬，却让孩子离这个目标越来越远了。或许，我们真正需要的是有个性⑧的孩子，而不是上面说的"好孩子"。

2 范文分析　［建议用时：15分钟］

1. 解读范文《你真是个好孩子》。

（1）找出描写父母希望的语句。

_____

（2）父母对孩子的表扬说明了什么？

_____

（3）找出说明"听话"和"懂事"的意思的语句。

_____

（4）最近有一项关于什么内容的调查？

_____

（5）找出说明调查结果的语句。

_____

（6）调查结果说明了什么问题？

_____

---

③ 家务（jiāwù）：household duties　家庭中的事情。

④ 的确（díquè）：indeed, really　实在；确实。

⑤ 追求（zhuīqiú）：seek, pursue　努力达到某种目的。

⑥ 竞争（jìngzhēng）：compete　为了利益跟他人争胜。

⑦ 思考（sīkǎo）：think deeply, consider　努力地想。

⑧ 个性（gèxìng）：personality, individuality　一个人比较固定的特性。

（7）找出描写大人的标准对孩子影响的语句。

（8）找出描写我们这个时代的特征的语句。

（9）找出文中表示解释关系的词语。

（10）作者的观点是什么？

2. 分析范文《你真是个好孩子》的写作思路。

《你真是个好孩子》的写作思路是：父母的希望和表扬→＿＿＿＿＿＿＿＿
＿＿＿＿→＿＿＿＿＿＿＿＿＿＿＿＿＿→"好孩子"标准产生的后果→＿＿＿＿＿＿＿
＿＿＿＿＿＿。

3. 熟悉范文《你真是个好孩子》中的表达范例。

重点词语或结构	例　句
在……眼中	在他们眼中，一个听话、懂事的孩子才是好孩子。
	在我们眼中，李明最适合做产品的宣传工作。
也就是说	听话，当然是听父母、老师等大人的话。也就是说，孩子应该按照大人的意思去做事。
	我出生在上海，却在青岛长大。也就是说，青岛是我的第二故乡。
最近	最近，有一项关于"好孩子"标准的调查。
	最近，天气越来越冷了。
然而	然而，"你真是个好孩子"的表扬，却让孩子离这个目标越来越远了。
	这个计划很详细，然而，实行起来会有很大的难度。
或许	或许，我们真正需要的是有个性的孩子，而不是上面说的"好孩子"。
	或许，很多事情只有亲自去做，才能明白"说起来容易做起来难"这句话的意思。

3 写作实践　　[建议用时：20分钟]

小组活动 I：两人一组，试一试，写一写。（可以增加、减少或改变一些词语）

1. 下面的句子中，什么地方可以加上"在现代人眼中"？

> 　　我们的时代是一个充满竞争的时代，这个时代需要的是有创造力、能独立思考、能和他人交往与合作的人。

2. 下面的句子中，哪一个词语可以换成"或许"？

> 　　因此，孩子可能会在生活中完全按照父母和老师的意思去表现自己，而没有自己的想法。

3. 下面的语段中，哪一个词语可以换成"也就是说"？哪一个词语可以换成"然而"？

> 　　在中国，我也常常听到大人对孩子说这样的话：你真是个好孩子！父母对孩子的这种表扬，表现了他们的一种思想观念，即在他们眼中，一个听话、懂事的孩子才是好孩子。可是，这种表扬却使孩子丧失了个性和创造力。

4. 试试看，用"占"改写下面的句子。

其中有 38% 的家长对孩子"学习努力认真"满意，有 26% 的家长对孩子"听父母和老师的话"满意，有 20% 的家长对孩子"诚实、有信用"满意，有 12% 的家长对孩子"做家务"满意，而对孩子"有创造力和想象力"、"有自己的看法"、"好奇心强"、"能与人合作"等满意的家长总共不到 5%。

_____

_____

_____

5. 试试看，把"也就是说"后面的内容补充完整。

调查显示，对孩子"有创造力和想象力"、"有自己的看法"、"好奇心强"、"能与人合作"等满意的家长总共不到 5%。也就是说，_____

_____

_____

6. 请模仿下面的语段，说说在你眼中，什么样的学生才是好学生。（请注意变色字部分）

在他们眼中，一个听话、懂事的孩子才是好孩子。

那么，什么是听话和懂事呢？听话，当然是听父母、老师等大人的话。也就是说，孩子应该按照大人的意思去做事，而不是按照自己的想法去做事。懂事，就是知道一些道理。当然，这些道理必须是大人觉得对的。

<table>
<tr><td></td><td></td><td></td><td></td><td></td><td></td><td></td><td></td><td></td><td></td><td></td><td></td><td></td></tr>
<tr><td></td><td></td><td></td><td></td><td></td><td></td><td></td><td></td><td></td><td></td><td></td><td></td><td></td></tr>
</table>

（100字）

小组活动 II：两人一组，说说你们国家好孩子的标准。（可以尝试使用范文《你真是个好孩子》中的重点词语或结构）

小组活动 III：两人一组，说说你心目中的好孩子。（可以尝试使用范文《你真是个好孩子》中的重点词语或结构）

			我	心	目	中	的	好	孩	子		

（100字）

课后作文 ［建议用时：15分钟］

1. 参考题目：（请选择一个题目，你也可以自己想一个题目）

（1）我眼中的好孩子

（2）好孩子的标准

（3）你是好学生吗

（4）＿＿＿＿＿＿＿＿＿＿

2. 口头作文：

（1）我选择的题目是：＿＿＿＿＿＿＿＿＿＿

（2）我的写作思路是：＿＿＿＿＿＿＿＿＿＿＿＿＿＿＿＿＿＿＿＿＿＿＿

＿＿＿＿＿＿＿＿＿＿＿＿＿＿＿＿＿＿＿＿＿＿＿＿＿＿＿＿＿＿＿＿＿＿

（3）可能用到的词语、句式有：＿＿＿＿＿＿＿＿＿＿＿＿＿＿＿＿＿＿＿

＿＿＿＿＿＿＿＿＿＿＿＿＿＿＿＿＿＿＿＿＿＿＿＿＿＿＿＿＿＿＿＿＿＿

3. 作文要求：

（1）请根据你选择的题目，写一篇500～600字的作文。

（2）内容表述清楚，层次分明，符合汉语的表达习惯。

（3）尽可能用上本课学习的语言知识（词汇、语法、关联词语、重点词语或结构
    等）。

（4）最好写在方格稿纸上。

◇◆◇◆◇◆◇◆◇◆◇◆◇◆◇◆◇◆◇◆◇◆◇◆◇◆◇◆◇◆◇◆◇◆◇◆◇

我的作品 ［课下完成］

（100字）

（200字）

（300字）

（400字）

（500字）

（600字）

附录1：汉语常用标点符号

符　号	名　称	用　法	例　句
，	逗号	表示句子内部的停顿	我去过很多地方旅游，可给我印象最深的是香港。
。	句号	表示陈述句末尾的停顿	虽然大家每天都刷牙，但却很少有人知道正确的刷牙方法。
？	问号	表示疑问语气	难道你真的不知道这件事吗？
、	顿号	表示并列词语之间的停顿	我的房间里有空调、洗衣机、冰箱、电视、电话和一些必要的家具。
：	冒号	表示提起下文	办银行卡需要带上以下东西：护照、学生证、证明材料和申请表。
"　"	引号	表示文中引语或具有特殊意义的词语	孔子说："三人行，必有我师。"
			昆明冬无严寒，夏无酷暑，被称为"春城"。
；	分号	表示并列句子之间的停顿	"三分钟热度"让张雨见识广泛：别人没有看过的书，她翻过；别人没有经历过的事，她经历过。
……	省略号	表示省略的话	文学、哲学、历史……几乎所有的书他都爱看。
！	叹号	表示强烈的感叹语气	祝你每天都开心！
《　》	书名号	表示书名、篇名	《论语》是一本记录孔子及其弟子思想和言行的著作。
（　）	括号	表示括号中是解释性的话	西红柿（又称番茄）是一种营养丰富的蔬菜。
——	破折号	表示进一步解释、说明	我的朋友——李明，是我三年前认识的。
			中国古代的思想家和教育家——孔子，生于2500多年前。
—	连接号	表示相关的时间、数目、地点等之间的连接	受大风影响，下周的气温将下降10—12℃。
			10月1日—7日，全校放假。

附录2：汉语常用关联词语

种类	关联词语	例　句
并列关系	不是……，而是……	我不是反对这个方案，而是觉得应该再好好儿考虑一下。
	……而……	你应该给他一些好的建议，而不是一直批评。
	既……，又/也……	骑自行车去很不错，既能锻炼身体，又不挨挤。
	……另外……	除了带这些证件，另外，学生证最好也带着。
	是……，不是……	他们是去年认识的，不是刚认识的。
	……同时……	赵元任先生研究语言学，同时还给学生上物理课和逻辑课。
	……也……	我有经验，也感兴趣，很适合做这个工作。
	一边……，一边……	我常常一边跑步，一边听音乐。
	一方面……，一方面……	旅游景点遭到破坏，一方面和游客太多有关，一方面也和管理不严有关。
	有时……，有时……	我常常去图书馆看书，有时一个人去，有时和朋友一起去。
	又……，又……	又不说话，又不和我们一起出去，他到底怎么了？
先后关系	刚……，就……	我刚会说简单的汉语，就一个人来到了中国。
	……接着……	李明没说话走了，接着，别的人也陆续离开了。
	起先……，后来……	起先我不是很喜欢她，没想到后来我们成了好朋友。
	首先……，然后……	在危险面前，他首先想到的是别人，然后才是自己。
	……随后……	昨天的晚会上，王老师朗诵了一首诗，随后又唱了一首歌。
	先……，再……	做这个菜，应该先放西红柿，再放鸡蛋。
	一……就……	我一来北京就和朋友取得了联系。
	……于是……	等了半个小时，玛丽还没来，于是大家就先出发了。
	……终于……	经过三年的努力，她终于考上了理想的大学。
选择关系	不是……，就是……	那段时间，我整天不是睡觉，就是玩儿游戏，浪费了很多时间。
	……或……	我在线投了简历，每天拿着手机等消息，或在网上看有没有人给我回复。
	或者……，或者……	或者今天买，或者明天买，这两天一定得把票买了。
	宁可……，也不……	我宁可自己多做一些，也不把工作推给别人。
	是……，还是……	你是明天来，还是后天来？
	要么……，要么……	要么你去，要么他去，总之得有一个人去。
	与其……，不如……	我觉得你与其去上海，不如去北京。

续表

种 类	关联词语	例 句
递进关系	别说……，连……	别说成人了，连小孩儿都懂得这个道理。
	不但/不仅/不光……，而且……	她不但汉语说得好，而且汉字也写得漂亮。
	不仅……，还……	赵元任不仅会说很多中国的方言，还精通多国语言。
	连……，何况……	连数学家都不知道问题的答案，何况是我们呢？
	……甚至……	在一起工作了三年，我们没有说过话，甚至她的名字我都不知道。
条件关系	不管……，都……	不管你喜欢不喜欢，广告都已经成为人们生活的一部分。
	无论……，都……	无论干什么工作，我们都已经离不开网络了。
	……要不然……	你亲自去请他吧，要不然他可能不来。
	只要……，就……	只要还有希望，就不要放弃。
	只有……，才……	经理说，只有遇到紧急情况，才可以用暗铃报警。
因果关系	既然……，那么……	既然大家都同意了，那么，我没有其他意见了。
	……可见……	小王最近闷闷不乐、不说不笑，可见他有什么心事。
	……因此……	玛丽性格活泼，因此到哪儿都能很快认识新朋友。
	因为……，所以……	因为她是中文系毕业的，所以文笔比较好。
	由于……	由于天气的原因，比赛已经推迟了。
	之所以……，是因为……	我之所以没去参加活动，主要是因为不想见到以前的男朋友。
假设关系	……的话……	你临时有事的话，可以向公司请假。
	即使……，也……	孔子的很多观点，即使在今天，也仍然具有非常重要的意义。
	哪怕……，也……	哪怕所有人都反对，我也要试试。
	如果……，就……	如果你不想去，就打电话告诉我。
	要是……，就/那么……	要是天气不好，我们就改天再约。
	再……，也……	产品再好，也需要广告宣传。
转折关系	……不过……	这本小说一般人可能会读得难受，不过我却觉得有意思。
	……却……	"龟兔赛跑"中，兔子可以说能轻松获胜，但最后却输掉了比赛。
	……然而……	第一印象并不那么可靠，然而，说第一印象重要却对极了。
	虽然/尽管……，但是/但……	虽然我常常去酒吧喝酒，但从来不会喝醉。

续表

种　类	关联词语	例　句
目的 关系	……好……	我们互相留一下联系方式吧，以后好联系。
	……免得……	你帮我把这本书还了吧，免得我再跑一趟。
	……为的是……	我把问题提出来，为的是更好地解决这些问题。
	……以便……	学校打算建设新的图书馆，以便为学生提供更多的方便。
	……以免……	来之前请给我打个电话，以免我不在家。

《发展汉语》（第二版）
基本使用信息

教　材	适用水平	每册课数	每课建议课时	每册建议总课时
初级综合（I）	零起点及初学阶段	30课	5课时	150-160
初级综合（II）		25课	6课时	150-160
中级综合（I）	已掌握2000-2500词汇量	15课	6课时	90-100
中级综合（II）		15课	6课时	90-100
高级综合（I）	已掌握3500-4000词汇量	15课	6课时	90-100
高级综合（II）		15课	6课时	90-100
初级口语（I）	零起点及初学阶段	23课	4课时	92-100
初级口语（II）		23课	4课时	92-100
中级口语（I）	已掌握2000-2500词汇量	15课	6课时	90-100
中级口语（II）		15课	6课时	90-100
高级口语（I）	已掌握3500-4000词汇量	15课	4课时	60-70
高级口语（II）		15课	4课时	60-70
初级听力（I）	零起点及初学阶段	30课	2课时	60-70
初级听力（II）		30课	2课时	60-70
中级听力（I）	已掌握2000-2500词汇量	30课	2课时	60-70
中级听力（II）		30课	2课时	60-70
高级听力（I）	已掌握3500-4000词汇量	30课	2课时	60-70
高级听力（II）		30课	2课时	60-70
初级读写（I）	零起点及初学阶段	15课	2课时	30-40
初级读写（II）		15课	2课时	30-40
中级阅读（I）	已掌握2000-2500词汇量	15课	2课时	30-40
中级阅读（II）		15课	2课时	30-40
高级阅读（I）	已掌握3500-4000词汇量	15课	2课时	30-40
高级阅读（II）		15课	2课时	30-40
中级写作（I）	已掌握2000-2500词汇量	15课	2课时	30-40
中级写作（II）		15课	2课时	30-40
高级写作（I）	已掌握3500-4000词汇量	12课	2课时	30-40
高级写作（II）		12课	2课时	30-40

发展 Developing
汉语 Chinese 第二版 2nd Edition

综合

○ 初级综合（Ⅰ）含1MP3	ISBN 978-7-5619-3076-2	79.00元
○ 初级综合（Ⅱ）含1MP3	ISBN 978-7-5619-3077-9	75.00元
○ 中级综合（Ⅰ）含1MP3	ISBN 978-7-5619-3089-2	56.00元
○ 中级综合（Ⅱ）含1MP3	ISBN 978-7-5619-3239-1	60.00元
○ 高级综合（Ⅰ）含1MP3	ISBN 978-7-5619-3133-2	55.00元
○ 高级综合（Ⅱ）含1MP3	ISBN 978-7-5619-3251-3	60.00元

口语

○ 初级口语（Ⅰ）含1MP3	ISBN 978-7-5619-3247-6	65.00元
○ 初级口语（Ⅱ）含1MP3	ISBN 978-7-5619-3298-8	74.00元
○ 中级口语（Ⅰ）含1MP3	ISBN 978-7-5619-3068-7	56.00元
○ 中级口语（Ⅱ）含1MP3	ISBN 978-7-5619-3069-4	52.00元
○ 高级口语（Ⅰ）含1MP3	ISBN 978-7-5619-3147-9	58.00元
○ 高级口语（Ⅱ）含1MP3	ISBN 978-7-5619-3071-7	56.00元

听力

○ 初级听力（Ⅰ）含1MP3	ISBN 978-7-5619-3063-2	79.00元
○ 初级听力（Ⅱ）含1MP3	ISBN 978-7-5619-3014-4	68.00元
○ 中级听力（Ⅰ）含1MP3	ISBN 978-7-5619-3064-9	62.00元
○ 中级听力（Ⅱ）含1MP3	ISBN 978-7-5619-2577-5	70.00元
○ 高级听力（Ⅰ）含1MP3	ISBN 978-7-5619-3070-0	68.00元
○ 高级听力（Ⅱ）含1MP3	ISBN 978-7-5619-3079-3	70.00元

"练习与活动" + "文本与答案"

读写

初级读写（Ⅰ）

ISBN 978-7-5619-3360-2　　27.00元

初级读写（Ⅱ）

ISBN 978-7-5619-3461-6　　27.00元

阅读

○ 中级阅读（Ⅰ）

　ISBN 978-7-5619-3123-3　　29.00元

○ 中级阅读（Ⅱ）

　ISBN 978-7-5619-3197-4　　29.00元

○ 高级阅读（Ⅰ）

　ISBN 978-7-5619-3080-9　　32.00元

○ 高级阅读（Ⅱ）

　ISBN 978-7-5619-3084-7　　35.00元

写作

○ 中级写作（Ⅰ）

　ISBN 978-7-5619-3286-5　　35.00元

○ 中级写作（Ⅱ）

　ISBN 978-7-5619-3287-2　　39.00元

○ 高级写作（Ⅰ）

　ISBN 978-7-5619-3361-9　　29.00元

○ 高级写作（Ⅱ）

　ISBN 978-7-5619-3269-8　　29.00元

图书在版编目（CIP）数据

中级写作.1 / 蔡永强编著. — 2版. — 北京：北
京语言大学出版社，2012.6（2014.1 重印）
（发展汉语）
ISBN 978-7-5619-3286-5

Ⅰ.①中… Ⅱ.①蔡… Ⅲ.①汉语—写作—对外汉语
教学—教材 Ⅳ.①H195.4

中国版本图书馆 CIP 数据核字（2012）第 096545 号

书　　名：	发展汉语（第二版）中级写作（Ⅰ）
责任印制：	汪学发

出版发行：北京语言大学出版社

社　　址：	北京市海淀区学院路 15 号　　邮政编码：100083
网　　址：	www.blcup.com
电　　话：	发行部　010-82303650 / 3591 / 3651
	编辑部　010-82303647 / 3592 / 3395
	读者服务部　010-82303653 / 3908
	网上订购电话　010-82303668
	客户服务信箱　service@blcup.com
印　　刷：	北京中科印刷有限公司
经　　销：	全国新华书店

版　　次：	2012 年 6 月第 2 版　　2014 年 2 月第 4 次印刷
开　　本：	889 毫米 ×1194 毫米　1/16
印　　张：	10.5
字　　数：	134 千字
书　　号：	ISBN 978 - 7 - 5619 - 3286 - 5/H · 12067
定　　价：	35.00 元

凡有印装质量问题，本社负责调换。电话：010-82303590